LIAISON DANGEREUSE

ANNABELLE DEMAIS

LIAISON DANGEREUSE

roman

ARCHIPOCHE

www.archipoche.com

Si vous souhaitez recevoir notre catalogue et être tenu au courant de nos publications, envoyez vos nom et adresse, en citant ce livre, aux Éditions Archipoche,
34, rue des Bourdonnais 75001 Paris.
Et, pour le Canada, à
Édipresse Inc., 945, avenue Beaumont,
Montréal, Québec, H3N 1W3.

ISBN 978-2-35287-213-9

« Il n'y a pas d'amour,
il n'y a que des preuves d'amour. »

Gaston Leroux
… ou Pierre Reverdy
… ou Jean Cocteau

Écrire un livre en est une
qui confine au masochisme…

1
Un cadavre

— Et merrrde !

Le téléphone qui klaxonne à 22h15, c'est l'annonce d'une galère assurée. Je ne sais pas quel con au journal a choisi d'attribuer cette sonnerie à l'alerte, mais elle rajoute du stress au stress. D'autant que le niveau sonore va crescendo. Insupportable, mais c'est voulu. Il n'y a pas de messagerie sur cet appareil de service et le deux tons strident ne s'arrêtera pas jusqu'à ce que je décroche ou que l'interlocuteur, lassé, raccroche. Ce qui n'est jamais le cas.

Je vois le BlackBerry confié au reporter de permanence se trémousser sur la tablette du lavabo, parce qu'en plus le vibreur est en fonction, deux précautions valent mieux qu'une. Pour l'attraper, il me faut d'abord sortir de la baignoire sans me casser la figure. Si « Max les écoutes » me voyait ! Je l'imagine en train de râler contre ces journaleux plus que lents à réagir…

« Max » ne dérange jamais le soir pour rien. L'indic de la rédaction a du métier, il sait que l'heure limite du bouclage est minuit et que la une ne sera modifiée que pour un très gros coup. Sa crédibilité repose sur son discernement. Il prend moins de gants, en revanche, avec le photographe qu'il envoie sur des coups plus ou moins foireux.

« Max » est payé 50 euros l'info, à condition qu'elle soit publiée. Ce boulot lui rapporterait dans les 3000 euros par mois en période calme. Un salaire qu'il a dû allègrement doubler cette année, avec la guerre des gangs que se livrent de pseudo-caïds pour le contrôle de la drogue dans les cités. Même de simples guetteurs âgés de onze ans sont désormais pris pour cibles. Au journal, l'appartement de « Max » passe pour être un véritable laboratoire, équipé de matériel dernier cri qui balaie en permanence toutes les fréquences d'urgence : flics, pompiers et sécurité civile. Mais ce n'est qu'une rumeur. Aucun d'entre nous ne s'est jamais rendu chez lui et ne l'a même jamais croisé.

— *Yes!*

— Un homme abattu par balles sur les plages du Prado. J'ai bipé le photographe de perm il y a vingt minutes. Brennus et Polaire se rendent sur place. C'est du lourd…

— OK, à plus !

Message court, clair, concis, précis. Comme d'habitude. À moi de faire mon job, maintenant. Pour que le préfet et le directeur départemental de la Sécurité publique se déplacent en personne, c'est forcément une pointure qui s'est fait assassiner. Premier coup de fil pour l'Évêché. L'officier de permanence à la PJ hallucinerait s'il savait qu'à l'autre bout du fil la fille est à poil dans sa salle de bains. Vive le mobile et les numéros préenregistrés.

— Demais de la…

— Salut, Annabelle, c'est Bernard. Alors, il s'agit d'un homme. La cinquantaine. Deux balles. Il faisait son jogging. Pas de témoin. C'est un vieux qui promenait son clebs qui est tombé dessus. Je ne t'ai rien dit.

Précision totalement inutile, mais qui fait partie des codes convenus quand on appelle l'hôtel de police. Tout comme le tutoiement, d'usage au sein d'une même corporation, qui en dit long sur les rapports flics-journalistes.

Bernard Parisi est un des derniers officiers de la PJ arrivés à Marseille. Pour lui comme pour les autres gradés, le journal a mis les petits plats dans les grands : visite de nos locaux, des rotatives, déjeuner dans la salle de réunion avec le rédacteur en chef et les journalistes chargés des faits divers. Relations publiques classiques, agrémentées d'un petit service qui crée des liens plus étroits : Bernard a bénéficié de la communication des annonces immobilières avant leur publication, un temps d'avance précieux sur le commun des mortels pour trouver un appartement.

— Tu as un peu plus de précisions ? Son identité, par exemple ?

— Ce serait un collègue à toi. Saint-Gilles, ça te parle ? Le préfet est déjà informé. Le proc de permanence et le commissaire Paoli sont partis là-bas...

La conversation s'arrête net. J'ai coupé la ligne. Je suis debout face au miroir du lavabo. Je grelotte malgré la chaleur humide qui règne dans la pièce. J'imagine le corps de Pierre, à terre, baignant dans son sang. J'ai la tête qui tourne. Violente contraction de l'estomac, spasme, le verre de meursault savouré il y a cinq minutes se répand sur le carrelage.

Mécaniquement, je me dirige vers la penderie. J'enfile un jean et un sweat. Ma main est allée décrocher celui suspendu tout au fond. Le blanc à capuche. Pierre me l'avait offert à Paris lors d'une de nos escapades. Tandis que le coton glisse sur ma peau, je le respire profondément, comme si le tissu était encore imprégné de son parfum... Réflexe stupide, il y a longtemps que son odeur a disparu de mon quotidien.

Les premiers flics sur zone ont pu se tromper, ce n'est peut-être pas Pierre… Quelqu'un qui lui ressemble. Un type qui fait son jogging n'a pas ses papiers sur lui… Ou alors un homonyme?

Tout en me repassant en boucle la conversation avec le permanencier, j'attrape mon cuir, le casque, plonge l'ordi portable dans mon sac fourre-tout. À moto, il me faut cinq minutes pour rejoindre les plages par le bord de mer. Inutile de demander des précisions sur la localisation exacte du corps. Les gyrophares bleus feront office de GPS.

Au fil des kilomètres, quatre tout au plus, je sens le stress monter et le froid m'envahir, malgré la température relativement douce… Malaise renforcé par la vision de ces immenses pelouses plongées dans le noir. Seuls les anciens se souviennent de l'époque où la mer arrivait jusqu'en bordure de route. Ces plages artificielles réalisées avec la terre évacuée lors de la construction du métro se vident à la nuit tombée. Les joggers prennent alors possession des lieux, suivis des propriétaires de chiens qui laissent libre cours aux besoins de leurs amis… un peu partout! J'ai intérêt à regarder où je mets les pieds.

Au milieu de cette tache sombre, en retrait de la rue, un halo… Phares des véhicules de police, projecteurs et, sur le trottoir, un groupe de curieux sortis des restaurants d'en face. Certains ont encore au cou le bavoir de rigueur pour la dégustation des crustacés. Manque plus que le rince-doigts… Pas de doute, c'est ici.

La police française s'est mise à l'heure américaine. La scène de crime est digne d'un épisode de la série *Les Experts: Miami*. Dans le rôle d'Horatio Caine, Paoli, le patron de la criminelle en personne. Se doute-t-il que l'acteur roux passe la moitié de l'année à quelques kilomètres d'ici? Caruso, de son vrai nom, possède une maison dans les Alpilles. Je m'y suis rendue pour l'interviewer… Un type sympa, pas prétentieux du tout, qui m'a affirmé que je serais très déçue de suivre un tournage. Beaucoup d'images virtuelles, plaquées sur les acteurs, condamnés à mimer dans le vide devant un fond de couleur verte…

Ici, en revanche, tout est réel. Bien réel. Trop réel. Depuis cinq minutes, je suis aux prises avec un flic de base en uniforme. Il a reçu des ordres, n'a jamais vu le petit rectangle jaune barré de bleu-blanc-rouge, viatique de ma profession. J'ai beau éructer, lui brandir ma carte de presse sous le nez, le menacer d'en référer à ses supérieurs, au préfet… rien n'y fait, le planton refuse de me laisser passer.

Je suis à cinquante mètres en contrebas du « Bateau ivre », la sculpture dédiée à Rimbaud. D'ici, je ne vois rien. Une seule solution, appeler Paoli sur son portable. Il ne va pas apprécier, mais c'est ça ou le ratage ! Surtout, il faut que je sache…

— C'est Annabelle… Jean-Louis, c'est moi qui couvre. J'ai dix minutes pour envoyer mon papier, je suis bloquée par un agent qui m'empêche de te rejoindre.

— Passe-lui ton portable.

En quelques secondes, l'homme s'est redressé. Son ton est déférent. Il me redonne mon appareil sans un mot et s'écarte. Sprint sur trente mètres. Paoli descend à ma rencontre. Derrière lui, en partie masqué par des hommes en combinaison blanche qui s'affairent, j'entrevois le corps. Si j'avais encore une illusion, un mince espoir qu'il y ait erreur sur la personne, il s'envole. Ce ne peut être que Pierre. Lui seul portait pour courir un collant noir moulant. Réminiscence de l'époque où il donnait des cours de boxe française.

— C'est un de tes confrères, Pierre Saint-Gilles. Je ne t'apprends rien, t'as passé *le* coup de fil. T'es tombée sur

Parisi. Une balle dans la tête et une… dans le bas-ventre. D'où, peut-être, une histoire de cul. Un mari jaloux. Le procureur est sur les dents. Un journaliste abattu, ça fait toujours désordre. Il sait que vous n'allez pas nous lâcher jusqu'à ce qu'on ait trouvé.

Nouveau haut-le-cœur. Je m'éloigne, mais rien ne sort. Paoli est dans mes pas. Inutile d'adopter une posture, de mettre un masque, il se doute que je connais la victime. Entre journalistes, à Marseille, on se connaît tous de vue, on se croise régulièrement… Certains plus que d'autres. Parfois, les noms nous échappent, mais on se salue ou on s'embrasse, c'est selon.

— Annabelle, ce n'est pas ton premier cadavre !

Non, ce n'est ni mon premier cadavre ni mon premier assassinat par arme à feu… Mort, abattu, tué, autant de termes que nous couchons presque quotidiennement sur le papier sans éprouver de sentiments particuliers. Des formules devenues banales. Mais là, en quelques minutes, ces mots usés à force d'être usités viennent subitement de retrouver leur force, leur violence… Ils reprennent un sens, la forme d'un visage connu, les traits d'un proche, d'un intime, et cela change tout.

Sonnerie stridente, celle qui signale un appel de la rédaction en chef. Ils doivent s'impatienter à la maquette.

— Je suis sur place. C'est qui, le photographe ?

— Bessier.

— Il a pu shooter avant que le périmètre soit bouclé ?

— Oui. On a une photo extra. On la met à la une.

— Tu me la mailes. J'ai le portable avec la clé 3G. Je me mets sous un lampadaire, te fais la légende et le feuillet qui va avec.

Il me reste vingt minutes à peine, mais j'ai assez d'éléments pour pondre la copie de circonstance. Seulement, mes mains tremblent. Si je n'arrive pas à me calmer, je vais tripler les lettres, comme si je tapais avec des moufles. Je dois me ressaisir.

Une chose après l'autre. Je pose l'ordi sur la selle de la moto. Je l'ouvre. J'appuie sur le bouton de démarrage. Code utilisateur : AZERT. Les cinq premières lettres du clavier. Je me félicite de ne pas en avoir choisi un plus compliqué, parce qu'à cet instant je serais bien incapable de m'en souvenir. Je navigue à vue. Une vue trouble… Me connecter. Putain, que c'est long ! Accéder à ma boîte mail, maintenant. Et merde, nouveau code. Le maire en verlan, ou presque : DINGO. Ça ne s'ouvre pas ? Je retape, plus lentement : DINGO. Toujours pas… J'ai capté ! J'étais en majuscules… Nous disons donc : dingo… Bingo, ça y est !

La photo, maintenant… Non. Ils ne peuvent pas publier ça ! Son visage couvert de sang apparaît distinctement. Je ferme les yeux, respire profondément. Et rappelle la rédac.

— Non, mais tu as vu la photo ? On ne peut pas sortir ça ! C'est… c'est dégueulasse ! Trop gore !

— Ce n'est pas ton problème, Annabelle. Elle est déjà scannée. Et on est short en temps. Tu m'envoies le texte ?

— Attends, c'est pas possible ! C'est un journaliste. Un confrère. On le connaissait tous.

— Bonjour les arguments ! Tu n'aurais pas autant de scrupules pour un inconnu. Je t'arrête tout de suite : j'ai fait ce choix, ça relève de ma responsabilité. Tu m'envoies la légende et ton papier ! Point barre.

— La légende, tu te la torches ! Moi, je ne cautionne pas ça !

— OK. Bouge ! Pas de place pour le feuillet. Neuf cents signes maxi. Le titre est déjà en place.

Pauvre type… Il va m'entendre demain, à la conférence de rédaction. C'est minable. Bessier a dû shooter en rafale. Il y a forcément un autre angle de vue. On n'est pas une feuille de chou à scandales ! J'ai oublié de lui demander le titre pour me caler dessus. Hors de question de le rappeler. La roto doit déjà l'avoir.

— Annabelle à l'appareil. Tu peux me lire le titre sur le mort du Prado ?

— Ouais : « Un journaliste assassiné sur les plages du Prado. »

— Merci.

« Il était environ 22 heures hier soir quand un riverain qui promenait son chien sur la plage Gaston-Defferre a aperçu un corps allongé dans l'herbe, au pied de la sculpture dédiée à Rimbaud. Les marins-pompiers, rapidement arrivés sur place, ont d'abord pensé à un jogger victime d'un malaise cardiaque, avant de constater des impacts de balles. Pierre Saint-Gilles aurait été atteint par deux projectiles, selon les premières constatations de la police. Les enquêteurs s'interrogent toujours sur le mobile du meurtre. Aucun témoin ne s'est pour l'instant fait connaître. Après avoir été longtemps journaliste à la radio, Pierre Saint-Gilles, quarante-huit ans, s'était spécialisé dans l'information sur des sites Internet. Il collaborait également à divers magazines d'investigation pour la télévision. C'était un confrère apprécié et respecté. Notre journal présente ses condoléances à sa famille. »

Un clic et c'est envoyé. La connexion Internet fonctionne toujours.

— Tu l'as ?

— Oui, c'est bon… Dis donc, tu ne t'es pas foulée !

— Si tu peux faire mieux en cinq minutes chrono, dans le noir, le cul posé sur une selle, l'ordi en équilibre sur le réservoir, le tout entourée de curieux et de flics qui n'arrêtent pas de t'interrompre, te gêne surtout pas, vas-y ! Allez, tchao, bonsoir, à demain.

Gros naze... L'urgence, le terrain, ça lui rappelle quelque chose ? Ça doit faire vingt ans qu'il n'est pas sorti de son bureau. Il fait partie de ces journalistes qui, en prenant du galon, ont totalement zappé notre quotidien. En dehors de ce type d'événement, assez rare malgré tout, ils se contentent de relire nos papiers et de les retoucher sur la forme pour justifier leur rémunération.

Aucune raison de rester plus longtemps ici, je n'apprendrai rien d'autre ce soir. Il faudrait que j'aille saluer Paoli avant de déserter. Mais télés et radios sont arrivées. Il est cerné d'une meute de caméras et de micros. Je l'appellerai demain.

Je referme l'ordinateur, démarre et mets le cap sur le seul lieu qui me semble avoir du sens...

2
Une pièce

Rien n'a changé… La couleur des murs est toujours rouge basque, plafond compris. Des rayonnages, du sol au plafond, soutiennent des monceaux de livres, sans classement particulier. Aucun éditeur n'est privilégié. Seul endroit vierge dans cet amas de jaquettes, la cloison derrière son bureau. Les bouquins ont cédé la place à des cadres protégeant des dessins. Des croquis de femmes nues, au crayon. Tous signés d'artistes plus ou moins connus du XXe siècle.

Au total, une quinzaine d'œuvres encadrées d'une simple baguette de chêne et d'une marquise noire qui fait ressortir le trait étalé sur papier jauni. Au côté des petits maîtres provençaux, un Picasso, le clou de sa collection pour tous ses visiteurs. Pas pour lui. Pas pour moi. Celui qui capte mon attention est le plus grand format. Le plus original, le seul où le modèle apparaît de face, de profil et de dos, trois dessins pour le prix d'un. Ce tableau me représente. J'avais accepté de figurer dans sa collection… C'était il y a dix ans. Dix ans déjà.

Coup d'œil rapide sur le reste de la pièce. À droite, le coin salon, le canapé et les deux fauteuils club en cuir. Je caresse les dossiers en passant. Vieille habitude… Dans l'angle, l'armoire cave à vins, toujours aussi garnie. Une légère odeur de cigare flotte dans l'air et recouvre son parfum, choisi ensemble des années auparavant. Je suis persuadée que l'explication de sa mort, il y a deux heures à peine, se trouve dans ces cinquante mètres carrés.

Voilà pourquoi je suis ici, dans ce loft, le regard vissé sur mon nu.

« Ce sera la seule œuvre contemporaine du mur », m'avait-il affirmé, poursuivant, plein de tact :

— Ça ne te demandera pas un gros effort et, vieille, tu seras contente de voir ton corps l'année où il a basculé dans le XXIe siècle !

Pour me convaincre, il m'avait rapporté une anecdote sur Auguste Valère. Lors d'une interview chez ce dernier pour France Culture, une petite femme voûtée et toute ridée leur avait servi le thé. L'homme, âgé de quatre-vingt-dix ans, l'avait déshabillée du regard. Puis il s'était levé pour aller chercher une toile. Elle représentait un peintre de dos et son modèle posant nue.

— C'est elle. Elle et moi, en 1928, dans la classe des Beaux-Arts de Marseille.

Pierre avait tenu à saluer la vieille dame en partant. Il m'avait assuré que ce tableau l'avait fait bander. De là était partie l'idée de sa collection. Son premier achat avait d'ailleurs été un nu de la femme en question, daté de cette époque-là. L'explication de cette genèse artistique avait ensuite varié… Une autre fois, je l'avais par exemple entendu affirmer qu'au cours d'un déjeuner avec Briata, où il n'avait d'yeux que pour la fille de l'artiste, ce dernier lui avait dit que les bons peintres sont d'abord des artisans. Même si leurs œuvres sont abstraites, ils doivent être capables de dessiner un nu académique. D'où la soudaine passion de Pierre pour ce type d'études. Seul travail à même, selon lui, de démasquer les imposteurs. C'était devenu la version officielle. Plus présentable que la précédente. Il n'achetait d'ailleurs jamais de tableau sans avoir obtenu du galeriste un « nu d'atelier ».

Je regarde ces femmes « croquées » comme si je les découvrais et termine ma visite par celui qui me représente. Au moins un point sur lequel il a tenu parole : c'est le seul dessin contemporain pendu à une cimaise. J'avais hésité, longuement, avant d'accepter. Le fait de poser n'était pas un acte anodin. Me mettre à nu, me faire violence pour oublier tous mes complexes, sous l'œil certes professionnel mais appuyé d'un parfait inconnu, était un vrai défi. Et, au-delà, toute la symbolique de me retrouver « accrochée » chez lui, livrée aux regards critiques, avec le risque d'être reconnue. Il m'avait fallu une certaine inconscience et une bonne dose de passion pour me prêter au jeu, mais à l'époque je cédais à tous ses caprices. Il devait m'accompagner à l'atelier mais s'était décommandé au dernier moment tandis que nous l'attendions, un peu gênés, en faisant durer un café depuis vingt minutes. Le peintre avait la cinquantaine, moi trente-quatre. C'est lui qui fut informé de la défection de Pierre sur son portable. Sans préambule, il me demanda de me déshabiller, ne me proposa pas de m'abriter derrière un paravent et me reluqua ouvertement, tandis que j'ôtais mes vêtements. Je donnai le change en m'exécutant le plus naturellement possible. Il sortit un appareil photo et commença à énoncer des directives précises pour les poses, tournant autour de moi. Insistant sur la cambrure, l'écartement des jambes, me faisant marcher, me retourner… Je défilais tantôt les bras le long du buste, tantôt les mains sur la nuque. Pas question de lui cacher la moindre parcelle de mon corps. L'exercice dura un quart d'heure et prit fin sans explication.

Je n'ai jamais revu le peintre. Je ne sais pas ce qu'il a fait des photos ni si d'autres nus d'atelier me représentant ont été mis sur le marché. Le seul dont j'ai connaissance est sur ce mur. Lorsque Pierre l'avait introduit dans sa collection, son accrochage avait donné lieu à un cocktail à son domicile conjugal. Il m'avait proposé de passer boire un verre, sans autre précision. Mortifiée, j'avais assisté aux commentaires des invités sur sa dernière acquisition. Certains flagorneurs louaient le trait du peintre. D'autres détaillaient la forme des seins, des fesses. Mais le pire fut sans conteste la réflexion de sa femme, qui porta exclusivement sur l'implantation des poils pubiens. Comme d'habitude, c'était elle qui avait organisé la réception et lancé les invitations. Pierre avait ajouté à la liste quelques confrères dont je faisais partie. Personne ne fit le rapprochement avec moi, alors que les esquisses étaient criantes de vérité. J'étais là, tétanisée, incapable d'émettre un son ou une critique, ce qui n'était pas dans ma nature. Pierre, l'œil égrillard, attendait de toute évidence que ce microcosme mondain me démasque. Tout le monde ignorait que nous étions amants…

Quelques mois plus tard, son épouse ne supportant plus la vue de ces créatures nues dans son intérieur bourgeois, il lui mentit une fois de plus, par lâcheté, et lui fit croire que l'ensemble de la collection avait été vendu aux enchères. Elle était depuis lors installée ici.

Une garçonnière achetée par Pierre via une SCI, il y a neuf ans déjà, pour abriter nos rendez-vous. C'était dans son esprit « la » preuve matérielle du grand amour clandestin que nous vivions…

La clé était planquée à l'endroit habituel, dans l'escalier. Il ne l'avait jamais sur lui. Précaution élémentaire de l'homme marié.

3
Une femme

Deux ans que je n'ai pas remis les pieds ici.

Pas question de me laisser submerger par l'émotion. Il faut que je me ressaisisse, je ne suis pas là pour les souvenirs mais pour trouver des indices. Sur le bureau, son MacBook. L'écran est noir mais s'allume dès que je l'effleure. Il me réclame un mot de passe. Je tente « Foufoute », le surnom de sa mère. Et ça marche. Il ne l'a pas changé et n'a pas fermé sa session avant de partir. Une habitude. Il ne supportait pas d'attendre que le disque dur se relance, une perte de temps.

Le dernier programme consulté s'affiche. C'est QuickTime Player. Il a donc visionné un film. Un clic et ça repart du début. Il s'agit en fait d'une vidéo. À l'image, c'est lui, dans sa tenue habituelle : jean slim, chemise cintrée noire, aux pieds ses boots en croco. Il cherche visiblement à placer la caméra face au siège sur lequel il a pris place. Zoom, puis plan large, il pilote l'appareil numérique avec une télécommande minuscule qu'il tient dans sa main droite. En fond sonore, Diam's. Incongru… Il s'est mis au rap? Il semble nerveux. Avance légèrement la chaise, la recule. Quand il s'écarte, le reste de la pièce apparaît. À l'évidence, le film n'a pas été tourné ici. Le mobilier est caractéristique des années 1950. Un grand lit recouvert d'un drap gris, une console et une chaise en bois clair, une réplique de la LC4 du Corbusier. Tout porte à croire qu'il s'apprête à réaliser une interview en caméra cachée. Depuis qu'il a quitté la radio pour se mettre à son compte, il travaille en free-lance pour la télé et a ouvert un site d'infos sur Internet. À tous les coups, cet enregistrement est destiné au Net.

Brusquement, il bondit hors du champ. Au loin, des voix. Impossible de saisir le contenu de la conversation. Moins d'une minute s'est écoulée quand il réapparaît, une femme à ses côtés. Elle est plus grande que lui. Brune, vêtue d'une petite robe noire en laine, sobre. Bas noirs, bottes beiges à talons hauts. Il l'invite à s'asseoir. Je la vois maintenant en gros plan et leurs échanges deviennent audibles. Lui a disparu de l'image, il doit être assis face à elle, la caméra dans son dos.

— Tu es tendue?

— Assez.

Il lui sert du vin blanc dans un de ces verres à bourgogne ronds qu'il affectionne, se place derrière elle et lui masse la nuque. Cette femme est belle : la quarantaine, port altier, coupe au carré, maquillage discret faisant ressortir ses yeux bleu-vert. Seul bijou apparent, un solitaire. Du zirconium, vu la taille du bouchon de carafe! Elle a croisé les jambes et porte avec régularité le verre à sa bouche.

— Tu aimes le caviar?

— Évidemment!

Il lui tend une boîte déjà ouverte et une cuiller en argent.

— Jamais d'argent ni de métal avec le caviar. De la corne, du bois, du plastique à la rigueur. Et pour le vin, ce n'est pas le bon verre.

Le ton est hautain, presque méprisant. Il s'est raidi. Sa réflexion sur le vin a dû le mortifier, lui qui se piquait d'être un connaisseur. C'était son côté macho. Il était persuadé que les femmes ne comprennent rien au rugby, aux échecs et encore moins au vin.

— Je n'en ai pas, alors tu lapes !

Sa voix s'est brusquement durcie, assourdie. La fille s'exécute sans un mot. Elle ne le voit pas, mais il s'est saisi d'un masque en soie noire. Elle tressaille légèrement quand il lui bande les yeux.

Après lui avoir retiré des mains le verre vide et la boîte à peine entamée, il l'aide à se mettre debout. S'empare de la robe qu'il remonte délicatement avant de la lui ôter par le haut. Elle porte des dessous noirs, du Chantal Thomass. D'une main ferme, il l'oblige à se rasseoir. Toujours placé derrière elle, il dégrafe son soutien-gorge et passe une main sur ses seins. Au premier coup d'œil, je vois qu'ils n'ont pas été refaits. Ils se tiennent encore. Le dos de Pierre vient emplir l'écran. On entend le zip des bottes et un bruit mat lorsqu'elles touchent le sol. Il est repassé derrière elle.

— Lève-toi !

La fille obéit. Elle est maintenant debout face caméra, les bras le long du corps. Mince, cuisses musclées, ventre plat mais marqué par les grossesses. Il sort de sa poche une paire de ciseaux. Découpe la dentelle de la culotte. Ne touche ni au porte-jarretelles ni aux bas.

Je ne peux réprimer un sourire. S'il est toujours dans son trip porno, il va être déçu, cette femme n'est pas entièrement épilée. Elle a opté pour la coupe ticket de métro, mais version « RTM », comme on dit à Marseille, c'est-à-dire large. Il la fait se rasseoir, lui précise qu'elle doit rester cambrée, cuisses écartées. Il a disparu de l'écran et a manifestement repris sa place du début, en face d'elle. Une minute s'écoule. Le silence est pesant. Elle ne bouge pas.

Un mot claque:

— Clitoridienne?

— Oui.

Puis les questions s'enchaînent.

— Tu aimes te caresser?

— Oui.

— Tu l'as déjà fait devant un homme?

— Non.

— Avec une femme?

— Non.

À quand peut remonter cette scène?

Il est plutôt mince. Ce doit être après le nouveau défi qu'il s'était lancé. Un de ces paris totalement inutiles dont il avait le secret et qu'il m'avait confié, lors de notre dernier déjeuner: exploser son record sur le Marseille-Cassis. Objectif atteint, j'avais vu son temps dans le journal, un peu moins de 1h30. Pas mal pour un mec de quarante-huit ans, à en croire nos spécialistes du service des sports. Avant ça, entre autres challenges, il s'était mis dans la tête d'être classé au tennis en six mois. Ce qui fut fait et lui coûta une fortune en cours particuliers. Son seul échec, à ma connaissance, restait de n'avoir pu boucler un slalom de monoski en trois mois. Il était devenu recordman du nombre de minutes passées sur l'eau et un membre bienfaiteur de son club de ski nautique, compte tenu des sommes investies! Cela n'avait pas suffi. Le jour de l'épreuve, il s'était pris un gadin monumental et le moniteur ne lui avait pas accordé de seconde chance, l'obligeant comme un petit garçon à remonter dans le bateau. Blessé dans son orgueil, il n'avait plus jamais remis les pieds au club. De toute façon, vainqueur, il n'y serait pas retourné non plus. En sport, comme dans tous les domaines, il n'était motivé que par l'enjeu qu'il s'était fixé.

Cette vidéo est donc récente. La rafale de questions se termine. Elles sont allées crescendo dans la perversité, avec des réponses positives quant à la pratique de la fellation, l'utilisation de vibromasseurs ou la sodomie. À plusieurs reprises, la voix de la femme s'est faite hésitante, comme si elle éprouvait une gêne sincère. Mettant fin à l'interrogatoire, il se plante devant elle et lui demande de déboutonner son jean. Puis de le sucer. Elle s'exécute. Il a poussé le vice jusqu'à se mettre légèrement de côté, afin que la caméra ne rate rien de la prestation. Laquelle ne s'éternise pas. Il lui tire les cheveux en arrière, se dégage, puis la conduit sur le matelas. Une fois la fille allongée sur le dos, il lui passe autour des chevilles un lien en cuir déjà relié au pied du lit. Un nouvel ordre fuse :

— Masturbe-toi !

Son ton autoritaire me surprend. Il n'a pas employé l'expression classique et plus soft « caresse-toi », maintes fois entendue de sa bouche. Sans doute est-ce pour la déstabiliser. De fait, elle hésite.

Et moi aussi… Je devrais peut-être me contenter de visionner les toutes dernières minutes. Je ne suis pas sûre d'avoir envie de voir ce qui va suivre, de m'infliger leur partie de jambes en l'air !

Sur l'écran, une des mains de la femme descend lentement vers son sexe. Il exige alors qu'elle utilise les deux. Elle a toujours les yeux bandés. Lui s'est manifestement emparé de la caméra car l'angle de prise de vue vient de changer. De nouveau, il la filme de face. Alterne plans larges et plans serrés. S'attarde sur le travail de ses doigts, mais revient régulièrement sur le visage barré de soie noire.

Spectatrice involontaire, j'ai l'impression d'assister au tournage d'un porno amateur.

À plusieurs reprises, il avait voulu m'imposer des soirées X, pensant exacerber ma libido. J'avais regardé un ou deux films du genre pour lui faire plaisir. J'avais apprécié, sans plus. C'est son état d'excitation à lui qui rendait ces nuits-là mémorables. Il m'avait même proposé qu'on filme nos ébats, pour « garder un souvenir », prétendait-il, « au cas où »... Prudente, j'avais toujours refusé. À cet instant, je m'en félicite !

Mais, paradoxalement, l'image capte mon attention. Je n'ai pourtant pas de temps à perdre. Je ferais mieux de refermer ce dossier et de fouiller l'ordinateur en quête de fichiers plus sensibles, susceptibles d'être liés à sa mort. Mais non, je reste hypnotisée par le spectacle qui se joue devant moi. Assise à son bureau, dans la position de la voyeuse, je mate depuis maintenant vingt minutes. Le compteur, en bas à droite, indique que je n'ai vu qu'un tiers du film.

Il a dû poser la caméra car il apparaît brusquement nu à l'écran.

— Tu n'es pas là pour ton plaisir, juste pour le mien.

Il s'empare de ses poignets, les attache à leur tour. La femme est maintenant écartelée. Son souffle s'est accéléré. Elle attend.

— Tu es excitée ?

Le « oui » est à peine audible. Il se penche sur son sexe, l'effleure de sa bouche et joue de la langue. Elle se tend, tire sur ses liens. Mais il se dégage au moment où son ventre commence à se contracter. Dans sa main, un vibro vert fluo. Elle s'ouvre davantage quand il glisse le cylindre entre ses cuisses, ne cherche pas à se dérober, mais son attitude n'est pas celle d'une adepte de ces gadgets.

Encore une fois, la séquence est brève. Lui qui prenait toujours son temps pour stimuler les zones érogènes donne l'impression d'accomplir un programme imposé dans un délai imparti. Il vient de défaire les liens qui entravent ses jambes. Entre en elle. Alterne les rythmes, la caresse. Sexe, seins, visage. Elle crie. Il lui plaque la main sur la bouche, manifestement inquiet que l'on puisse les entendre ou peut-être les surprendre.

Même s'il apparaît de dos à l'image, je sais qu'il la fixe. Qu'il cherche son regard. Pour lui, seuls les yeux trahissent vraiment les sentiments et, sans cet échange, il lui manquera l'essentiel. Ce masque qu'elle porte est synonyme de vide et de néant. Toujours fiché en elle, il lui ôte les bracelets restants. Soudé, le couple ne bouge presque plus. Leurs lèvres se frôlent mais ne se joignent pas. Leurs nez se perdent dans les odeurs de leurs cous respectifs. Les épaules de Pierre se sont affaissées. Je sais qu'il vient de comprendre que cette femme lui a échappé. Qu'il n'a pas réussi à la conquérir. Il se retire. Quitte le lit, l'abandonne là, allongée, et revient quelques secondes plus tard, deux verres de vin à la main.

Avant qu'il ait prononcé un mot, elle lui demande l'heure. Coup d'œil à sa montre.

— 13h45.

— Ça fait une heure. C'est terminé.

Elle se redresse et ramène les mains vers sa tête pour enlever le bandeau. Il interrompt son geste, les lui plaque dans le dos et la retourne brutalement.

— Je n'ai pas joui et tu avais cinq minutes de retard.

— D'accord, va pour cinq minutes, mais tu n'y arriveras pas.

En l'espace de quelques secondes, je viens d'avoir deux indices. D'abord, cette femme est tatouée, un rond, comme une cible, dans le creux des reins, entre ses deux fossettes. Ce n'est pas fréquent. Mais surtout, ils ne sont pas amants. Elle ne le connaît pas. C'est une première et j'en suis presque soulagée…

Pierre fait partie de cette catégorie d'hommes qui jouissent sur commande. Quand ils le décident. Particularité intéressante, puisqu'il était ainsi capable d'attendre la montée de mon plaisir, mais aussi terriblement frustrante car je me suis toujours demandé quelle part je prenais dans son extase à lui.

Il ne lui a pas répondu. Se plante face à elle. Met son sexe dans sa bouche. Elle ne proteste pas, le suce avec dextérité. Il n'a jamais admis que cette pratique puisse nous exciter et restait persuadé, après toutes ces années, que les femmes s'adonnent à la fellation par pur dévouement, voire abnégation. Qu'elles ne peuvent en aucun cas éprouver du plaisir à cet acte. Mes tentatives répétées pour lui faire admettre le contraire étaient restées vaines. Mais que connaissait-il réellement des femmes, hormis leur apparence? Lui qui était incapable de s'aimer et donc de les aimer…

Maintenant, il la prend par-derrière. La vidéo touche à sa fin. La fille se cambre, s'offre. Il lui saisit les hanches, accélère et le rythme et la profondeur de la pénétration. Brusquement elle se tend, crie. Il jouit. Inconsciemment, j'ai regardé les chiffres défiler sur l'écran. Il lui a fallu plus de sept minutes. La fille a enlevé son bandeau. Ses yeux ont changé de couleur. Ils sont plus foncés, presque gris et surtout brillants. Il la regarde, intensément. Elle le laisse faire quelques secondes puis se lève. Pierre s'allonge sur le drap. Son torse velu est couvert de sueur. Je profite de ces instants seule avec lui, ultimes minutes que la vidéo m'offre. Je me rappelle son corps, ses mains, son odeur, ses attitudes après l'amour…

Il a les yeux fermés et je sais qu'il revit déjà certaines scènes. La femme repasse devant la caméra. Elle s'est rhabillée. Elle est vraiment belle. J'ai un pincement au cœur. Sans doute sa dernière conquête. Peut-être même la cause de sa mort, comme semblent le suggérer les premiers constats de la crim. Elle le dévisage et tend la main. Il ouvre alors le tiroir de la table de nuit et en sort une liasse de billets.

— Cinq cents euros ? C'est ça ?

Un hochement de tête. Elle prend l'argent et tourne les talons. Un bruit de porte qui claque. Il reste étendu sur le lit, les yeux dans le vide. Clap de fin. Noir sur l'écran.

Une pute ? C'était donc une pute ? Un sentiment double m'envahit. L'idée qu'il puisse s'agir d'une call girl me satisferait presque, paradoxe de l'âme féminine, mais qu'il en soit arrivé à payer pour baiser me consterne. Quelle dégringolade…

Sans parler de la somme ! Le salaire hebdomadaire d'un journaliste, pour une heure qui, franchement, n'avait rien d'extraordinaire… Sa prestation à elle était plutôt passive. À moins que, justement, cela explique le tarif. Ou un prix majoré pour l'absence de préservatif ?… Dans tous les cas, c'est navrant.

Je clique sur la boule rouge. Le programme se ferme et le bureau de l'ordinateur apparaît sur fond noir. Il est encombré de dossiers et autres raccourcis. Celui-ci était intitulé « C1 », suivi de la date « 14 janvier ».

J'hésite quelques secondes et jette un coup d'œil machinal autour de moi. Si, comme je le pense, personne d'autre n'a connaissance de cet endroit, j'ai du temps avant l'arrivée des flics. Nouveau clic. Le film repart.

Je fais glisser mon jean dès qu'elle apparaît à l'écran. Commence à me caresser quand leur jeu démarre. Pour la dernière fois, je veux jouir en même temps que lui.

4
Une lettre

Un bruit sourd dans l'escalier me fait sursauter. J'ai dû m'assoupir. Il me faut quelques secondes pour réaliser où je suis et les motifs qui m'ont poussée à revenir dans ce studio. J'avais presque oublié. Je suis assise dans un de ses fauteuils club, un livre posé sur mes genoux. C'est *L'Homme pressé*. Je l'ai trouvé en fouillant dans les rayonnages. J'avais décidé de ne plus perdre de temps sur son ordinateur portable, que j'examinerais tranquillement à la maison. Et j'espérais, comme dans un film de série B, que quelque chose d'inhabituel me sauterait aux yeux dans ce fatras de papiers. En bonne place, au centre de la bibliothèque, le fameux *Belle du seigneur* d'Albert Cohen, sa référence. Le livre de Paul Morand était collé tout contre. Les deux ouvrages dans l'édition beige cartonnée de Gallimard, côte à côte, je ne peux m'empêcher d'y voir un clin d'œil. Je lui avais offert cet exemplaire il y a deux ans, en ayant pris soin d'y glisser une lettre… de rupture. Une de plus ! Mais la dernière et la bonne. Du moins, celle après laquelle il n'a rien fait pour me retenir.

Le héros de *L'Homme pressé* se prénomme Pierre et son auteur était fils de peintre. Le père de « mon » Pierre était affichiste. Coïncidences, mais pas seulement. Le résumé au dos du livre a quelque chose de troublant :

« Pierre gâche tout, l'amitié, l'amour, la paternité, par sa hâte fébrile à précipiter le temps. Il se consume et consume les siens en fonçant vers un but qu'il renouvelle chaque fois qu'il l'atteint… » En quatre lignes à peine, tout est dit.

J'ai du mal à retrouver mes esprits. Violente nausée. Certes, les dernières heures ont été plutôt éprouvantes, mais ce qui me met surtout mal à l'aise, c'est le rêve que j'étais en train de faire. Nous sommes dans une salle de cinéma surchauffée. Je suis enfoncée dans un siège peu confortable, je lutte contre l'endormissement puis cède et finis par fermer les yeux. Combien de temps, je l'ignore. L'employé qui passe entre les sièges ramasser les papiers et autres seaux de pop-corn abandonnés me tape sur l'épaule. La salle est vide, il ne reste plus que moi face à l'écran noir.

Je suis seule, toute seule. Il est parti.

J'ai le sentiment étrange d'avoir déjà vécu cette situation, et pour cause : j'ai fait plusieurs fois ce même cauchemar il y a deux ans, quelques jours avant de lui offrir ce fameux livre et la lettre intitulée « Épilogue ».

À l'époque, pour calmer l'angoisse qui montait, j'écrivais, j'écrivais encore et encore. Les textes restaient dans mon ordinateur, Pierre n'en avait pas connaissance. Cris du cœur ou coups de gueule, l'important était d'écrire pour magnifier ou mieux supporter.

Ma muse ne m'amuse plus, ma muse abuse et m'use…

Mon stylo, pour tous mots, n'écrit que des sanglots…

Je lui en voulais d'avoir, d'une certaine façon, « nié » mon existence aux yeux des autres, avec pour inévitable conséquence le sentiment ravageur que je n'étais pas assez bien pour lui… pas assez bien, tout court.

Présentable… mais pas présentée,
Aimable… mais pas aimée,
Baisable… et baisée !

La comptine tournait en boucle dans ma tête.

Un jour, je m'étais décidée. Il fallait qu'il sache, à défaut de comprendre.

Contre toute attente, la lettre est toujours dans le livre, entre les pages 134 et 135. J'étais persuadée qu'elle avait atterri à la poubelle, froissée, déchirée, de colère, de rage ou d'orgueil blessé. Il n'en est rien. Je la déplie avec émotion. Je l'avais tellement pensée, écrite dans ma tête, lue et relue avant de la lui donner, veillant au choix de chaque mot, que je la connais à la virgule près. Le feuillet d'introduction est là, lui aussi…

Voilà, c'est fini…

J'ai longuement hésité avant de te remettre cette lettre… Il y a quelques minutes encore, sur la moto, collée à toi, je me demandais si j'allais la sortir du fond de mon sac… ou la jeter dans la première poubelle venue.

Mais ma décision est prise, et ma démission de mise.

Sans doute as-tu attendu, avant de décacheter l'enveloppe, un endroit propice, un moment de calme et de solitude, sachant pertinemment qu'il ne pouvait rien en sortir de bon… quoique.

Et tu la lis, tu me lis… Enfin.

Marseille, le 31 février 2008

Voilà, c'est fini…

Durant toutes ces années, j'ai cru (ou voulu croire) que mon bonheur passait par toi, même à petites doses, même de temps en temps seulement.

Il faut aujourd'hui que je me fasse à l'idée qu'il n'en est rien. Parce que c'est contre ta volonté, que je suis fatiguée de me battre et que surtout, surtout, je ne veux plus avoir mal, je refuse de souffrir de nouveau à cause de toi et de ton égoïsme.

Tu veux vivre comme tu l'entends, vivre l'instant présent, en toute liberté, sans contrainte aucune et en « cloisonnant » ta vie... tes vies, pour reprendre ton expression.

Sauf que, à force de cloisonner, c'est entre nous que tu as érigé un véritable mur de béton que nous franchissons de moins en moins souvent... et jamais, au grand jamais, en dehors des limites de temps que tu as fixées.

Tout ton discours sur cette « relation unique », l'« alter ego », notre « complicité sans commune mesure » et la « totale confiance » en a pris un sacré coup.

Et ne te trompe pas sur mon compte: si j'ai été si longtemps à tes côtés, ce n'est pas « par défaut » ou parce que je n'avais pas d'autre choix! Je voulais juste, un week-end par-ci, trois jours par-là, une vraie complicité et quelques mots, simplement quelques mots et des attentions qui rassurent et qui rendent la vie belle le reste du temps...

Je ne te demandais pas la lune (comme tu as pu le croire quand je t'ai offert le single d'Indochine). Seulement une place un peu plus grande, des apparitions à l'écran plus fréquentes, pas une « séquence » mensuelle ni un simple interlude en marge du film de ta vie, le vrai, la super-production, où je n'ai joué toutes ces années qu'un rôle de figurante ou de doublure lumière.

À la longue, c'est totalement destructeur pour celui qui subit.

Tant que mes envies correspondaient aux tiennes, tout allait pour le mieux. Toi d'abord, avec qui tu veux, quand tu veux et tu es heureux!

« À prendre ou à laisser », disais-tu.

J'ai pris dix ans, avec circonstances atténuantes : je t'aimais.

Je pensais que nous deux, c'était « à part », autre chose, au-delà…

Aussi je te souhaite de trouver quelqu'un qui t'appréciera pour toi. Pour ce que tu es vraiment. Pas pour ton statut social, tes contacts, tes relations, ta famille ou les « entrées » que tu peux procurer.

Quelqu'un qui te prendra comme tu es, avec tes qualités (si, si, tu en as) et tes défauts (tu en as aussi…).

Tes (quelques) kilos en trop, ta lutte perpétuelle pour les perdre et ta peur de vieillir.

Une compagne qui répondra présente quand tu la solliciteras et s'arrangera pour être toujours disponible quand tu le seras, mais qui aura la délicatesse de ne pas s'imposer quand ce ne sera pas le « bon moment ».

Une amante qui acceptera de jouer quand tu en auras envie, à tous les jeux qui te passent par la tête, et pas seulement pour te faire plaisir, mais qui s'en amusera également, sinon ça ne dure qu'un temps.

Une maîtresse qui ne te harcèlera pas de coups de fil ou de SMS jaloux ou inquisiteurs, qui respectera ton silence durant des jours, ta vie à côté et la distance que tu mettras entre elle et toi certaines fois (très souvent), même si, inévitablement, elle en souffrira, parce que c'est comme ça, quand bien même tu ne le comprendrais pas.

Une femme à qui tu ressortiras ton couplet bien rodé sur l'air de « tout n'est pas tout blanc ou tout noir », sur ton souhait de « ne vivre que des moments privilégiés, hors quotidien », etc., et qui acceptera de n'être qu'une « séquence » dans ta vie. (Quel mot péjoratif et blessant !)

Mais surtout, surtout, quelqu'un avec qui tu pourras être vraiment toi, quand tu le souhaiteras, tomber le masque, être nature, avec tes doutes, tes erreurs, tes projets, ceux qui se réaliseront et les autres, tes mensonges qui forcent l'admiration, ton « désamour » de toi-même – lequel, soit dit en passant, n'est pas aussi grand que tu veux bien le laisser croire.

Bref, sans que tout cela porte à conséquence, parce que cette personne-là, je l'espère, t'aimera, pardon, t'appréciera (pas de grossièreté!) pour toi, tel que tu es.

Je ne me fais aucun souci: tu as encore plein de beaux « instants » devant toi, comme tu dis, des rencontres amusantes, sympathiques, érotiques, que tu t'offriras à coups de paris, de cadeaux ou de charme... Tu en as.

Des aventures d'une nuit, où tu utiliseras tout ton savoir-faire et ton imagination pour impressionner, au sens propre comme au figuré, pour qu'on ne t'oublie pas... même si, au petit matin, tu rentreras le ventre en te levant, tout en sachant que tu ne reviendras pas.

Voilà, c'est fini.

Parce qu'avant que « le marin d'eau douce ne file en douce pour d'autres rivages amoureux », comme je l'écrivais il y a quelques années, je préfère mettre les voiles et larguer les amarres.

En fin de compte, tu y gagnes encore: en liberté. Ta sacro-sainte liberté!

Et tu me perds moi, rien que moi.

Sois heureux, même si j'ai un sérieux doute sur ta compétence en la matière.

PS: au fait, tu sais, le « salaud » dans le film The Holiday, *je te rassure, il ne t'arrive pas à la cheville. Dans le style, tu es bien pire!*

Cette dernière phrase m'arrache mon premier sourire depuis hier soir...

Je faisais référence à une comédie américaine de Nancy Meyers, avec Cameron Diaz, Kate Winslet et Jude Law. Le point de départ du film présentait tant de similitudes avec ce que nous vivions tous les deux, notre métier, notre relation, tant de situations analogues, qu'on aurait pu écrire le scénario à quatre mains !

Jusqu'à la façon dont Kate Winslet apprenait le mariage de son amant, par hasard, sans ménagement... Sa douleur, sa souffrance à elle et le cynisme et l'égoïsme avec lesquels il refusait de la perdre, sans renoncer pour autant à sa vie à lui, à côté. C'était déconcertant de ressemblance !

Pierre m'avait avoué avoir été secoué, non par le film à proprement parler, mais par l'image qu'il lui renvoyait de lui, de son comportement. « Quel gros con ! », avait-il ajouté, s'appliquant la formule.

Je replie la lettre et reste un long moment les yeux dans le vague, à me remémorer son visage le lendemain : traits tirés, air contrarié, en le croisant le matin je sus immédiatement qu'il l'avait lue. Et relue même, sans doute. Et là, à cause d'un coup de fil reçu il y a sept heures, je suis en train de vivre cette scène surréaliste, assise au milieu de cette pièce où tout me rappelle ce que je m'applique à oublier depuis deux ans : lui, notre histoire, les bons et les mauvais moments. Et je réalise que le mot « fin » vient d'être écrit, pour de bon, pour de vrai, sans retour.

Voilà, c'est fini. J'irai à son enterrement, bien sûr, et je resterai dans un coin, à l'écart, comme depuis toutes ces années, affichant le chagrin compassé qui sied à une ancienne collègue. Au premier rang, sa veuve éplorée, l'officielle, trompée mais jamais quittée, et toutes les autres d'un soir, d'une semaine ou d'un mois. Les « baisées enlarmées », épouses vertueuses pour la plupart, accompagnées de leur mari et néanmoins relations du défunt. Bien en vue, comme toujours, ses « amis » politiques seront là, mais en petit comité. Ils avaient été nombreux, en effet, à lui tourner le dos quand Pierre avait commencé à mettre son nez un peu partout. Y compris ceux qu'il prenait pour des proches, des intimes même. Je profiterai de la cérémonie pour les observer tous, au cas où. Il s'en trouvera pour le regretter sincèrement, peut-être pas ceux qu'il aurait cru. Les autres viendront pour s'assurer qu'il est bel et bien mort et ne pourra plus leur nuire. Ce genre de spectacle l'aurait beaucoup amusé, lui qui adorait *L'homme qui aimait les femmes* et les maîtresses somptueuses de Charles Denner, au physique aussi ingrat que le sien, prétendait-il.

Si j'avais une quelconque légitimité, je me chargerais de son épitaphe : « Pierre Saint-Gilles est mort comme il a vécu… en courant. » Il aurait apprécié.

En replaçant la lettre dans le livre, un détail attire mon attention : elle n'est pas restée tous ces derniers mois entre les pages de *L'Homme pressé*. Les marques de pliure, des traces sombres à certains endroits, indiquent que cette feuille a séjourné longtemps dans une poche ou un portefeuille. À croire qu'il ne l'avait remise là que récemment.

Il avait la manie de cacher ses secrets dans sa bibliothèque. Il m'était arrivé de tomber par hasard sur des photos, des nus de ses diverses conquêtes, moi comprise, de l'argent oublié et même des numéros de téléphone privés qu'il refusait, par précaution, d'entrer dans le listing informatique de ses contacts. Où a-t-il bien pu planquer sa substantifique moelle, cette fois ?

La recherche est rapide. Une feuille visiblement arrachée d'un calepin tombe d'un épais bouquin regroupant les articles d'Albert Londres tiré de l'étagère. Elle est couverte de pattes de mouches. Le syndrome des étudiants à l'orthographe contrariée qui s'imaginent que le correcteur ne relèvera pas, grâce à ce subterfuge, la quinzaine de fautes par page.

La première difficulté consiste à décrypter. Dans ce domaine, je ne peux pas me prévaloir d'une grande expérience, puisqu'il ne m'a écrit en tout et pour tout qu'une lettre en dix ans. Et encore… D'une banalité affligeante, face aux dizaines que je lui ai envoyées.

Comme d'habitude, sa pensée ne s'exprime pas en phrases construites. Il n'a jamais assimilé le « sujet-verbe-complément ». En revanche, les cinq « W », règle de base du journaliste qui rapporte un événement selon le standard anglo-saxon, sont respectés. *Who, what, where, when, why*. En français, « qui, quoi, où, quand, pourquoi ».

Je ne m'attarde pas sur ces griffonnages. Ça demande trop d'efforts et je suis claquée. Dans quatre heures, je dois assister à la conférence de rédaction au journal. Il faut que j'obtienne de Rulat, le chef des infos géné, qu'il me laisse sur cette affaire. Pour une fois, j'ai une longueur d'avance. J'ai intérêt à me bouger, à ramener un scoop. Ça fait longtemps qu'aucun de mes articles n'a eu les honneurs de la une. J'ai quarante-cinq ans, un statut de grand reporter qui fait des envieux à la rédaction. Je suis sûre que Pierre enquêtait sur quelque chose d'énorme. On ne tue pas un journaliste sans raison. Marseille n'est pas Bogotá. Paoli me l'a joué à l'intox avec son histoire de mari cocu.

« Cinq heures du mat, j'ai des frissons, c'est l'insomnie, sommeil cassé, et j'suis toute seule, toute seule, toute seule… »

Les paroles et l'air me sont venus d'un coup, comme ça et s'imposent naturellement. Le nom iconoclaste du groupe est de circonstance : « Chagrin d'amour »…

Même mort, il me hante encore.

5
Un flic

J'ai donné rendez-vous à Paoli place des Pistoles pour manger quelques panisses. Il est 15 heures, je n'ai rien pu avaler depuis hier soir, aucune sensation de faim, juste une envie de vomir. À ma grande surprise, les galettes bien grasses mais succulentes de Jeannot, le patron du Panier gourmand, un personnage à la Pagnol comme il en existe encore à Marseille, passent facilement.

Nous sommes les seuls autochtones en terrasse, perdus au milieu d'un groupe d'Américains. Un paquebot vient de débarquer sa cargaison de trois mille croisiéristes en quête d'authenticité. Dans les ruelles du Panier, ils sont servis. La mairie n'a rien trouvé de mieux que d'inciter les occupants des HLM du quartier à suspendre leur linge aux fenêtres, ce qui ne se voit plus guère qu'à Naples. Partout ailleurs, les vêtements sèchent à l'abri des regards. Les touristes sont ravis. C'est comme dans *Plus belle la vie*, le soap cultissime de France 3, largement sponsorisé par la ville et dont la boutique de souvenirs se trouve à trente mètres.

Côté folklore, notre conciliabule flic-journaliste n'est pas mal non plus. Sauf qu'il répond à des considérations pratiques. L'Évêché – curieux nom pour l'hôtel de police de Marseille – est à cinquante mètres en contrebas. Nous sommes là de parfaits anonymes, assurés de ne pas être écoutés ni compris, vu la population qui nous entoure. Notre *dress code* est en adéquation. L'enquêteur, une nouvelle fois, me surprend: pantalon de toile et chemisette beige largement ouverte sur un poitrail velu, orné pour l'occasion de l'indispensable croix en or suspendue à une chaîne à maillons larges du même métal. De l'or jaune, bien sûr!

Paoli est l'antithèse du Bebel années 1980. Taille moyenne, pas de holster supportant un 357 Magnum coincé sous l'aisselle. Son truc à lui est d'être Monsieur Tout-le-monde. Un parfait caméléon, personne ne s'en méfie. C'est pourtant le patron de la criminelle et il a la réputation de ne pas hésiter à faire le coup de poing quand il le faut.

En ce qui me concerne, j'ai enfilé un Levi's moulant et un T-shirt blanc au décolleté plongeant. Il a sept ans de plus que moi. Cette tenue décontractée va dans le sens d'une conversation fluide et informelle. Avec les flics, tout prend sens! J'ai besoin qu'il me rencarde. J'ai obtenu de Rulat, sans grande difficulté, de suivre ce dossier en marge du service police-justice. Ce qui a provoqué quelques grincements de dents. Pour calmer les confrères, il m'a demandé de pondre le papier classique sur le parcours professionnel de Pierre pour l'édition de demain et de le mettre en ligne sur le site dès 17 heures. C'est déjà fait. Je suis restée neutre, détachée, même quand il m'a fallu écrire qu'il était marié et père de deux garçons.

C'est Paoli qui entre dans le vif du sujet:

— Tu le connaissais bien, Saint-Gilles?

Une question ouverte. Ça commence mal! Là, c'est l'enquêteur qui parle, pas le contact censé me refiler des tuyaux.

— Il n'a jamais travaillé au journal. Je le croisais régulièrement sur des coups qu'il couvrait à l'époque où il bossait à la radio. C'était avant qu'il ne prenne la grosse tête avec sa boîte de prod pour alimenter les télés en enquêtes bien sulfureuses. Nos relations professionnelles ne se sont pas améliorées avec la création de son site web en concurrence frontale avec le nôtre. Il nous a baisés plus d'une fois sur des affaires politico-mafieuses, mais je ne t'apprends rien ?

Il ne répond pas, me fixe derrière des lunettes de soleil qui m'empêchent de lire dans ses yeux.

— Et sa femme, tu la connais ? Tu es déjà allée chez lui ?

Pourquoi est-ce qu'il me parle de sa femme ? Il y a un truc qui cloche.

— Je l'ai rencontrée une fois ou deux. La bourgeoisie du VIIIe n'est pas ma tasse de thé.

— Ça, c'était pour la façade. Il avait une double vie.

Dans mon cerveau, un clignotant s'est allumé. Il est en train de tourner autour du pot. Il sait pour nous, j'en suis sûre. Il faut que je lui donne quelque chose, sinon le lien de confiance va être rompu.

— À une certaine époque, je le voyais un peu plus. Un soir, il m'avait même emmenée chez lui, après un dîner sympa, à trente mètres d'ici. Un petit appart. Je crois que c'était sa garçonnière.

— Ah ! Ça explique le tableau...

Un uppercut au foie n'aurait pas eu plus d'effet. Je ne me contrôle plus. Je n'ose plus le regarder, je baisse les yeux, le manque de sommeil sans doute, je craque et pleure en silence. Mais moi, comme une conne, j'ai oublié mes lunettes de soleil.

— Viens, on va parler de tout ça ailleurs.

Il se lève. Laisse 15 euros sur la table, n'attend pas la note et m'entraîne. Au lieu de redescendre vers l'Évêché, nous montons place des Moulins. Elle me fait penser à celle du Tertre à Montmartre, tout comme l'église de la Major, en contrebas, rappelle le Sacré-Cœur. Trois minutes de marche et nous entrons dans la pièce que j'ai quittée au petit jour. Apparemment, la serrure n'a pas été forcée. Paoli sort une clé. Ce doit être un passe car elle n'est pas de couleur, une astuce de Pierre pour ne pas perdre de temps avec son trousseau qui en comportait une bonne dizaine. J'accuse le coup. Je n'aurais jamais imaginé me retrouver ici en compagnie d'un policier.

— On n'a rien relevé d'intéressant. Pas d'ordi, juste quelques dossiers dans les tiroirs.

Paoli s'est assis dans un des fauteuils club face au tableau. Je suis, moi, dos au mur, sur le canapé. Il reluque ouvertement le dessin me représentant. J'ai la désagréable impression de me trouver à poil, en garde à vue. Je ne pensais pas que ce serait aussi facile de me déstabiliser. Je suis à sa merci. Il le sait et en profite. Son timbre de voix est plus métallique. La tournure des phrases, plus officielle.

— Tu as été sa maîtresse?

Seul point positif, il n'a pas abandonné le tutoiement. Inutile de tergiverser.

— Je l'ai été, il y a longtemps. Une parmi d'autres...

— Apparemment, tu es la seule sur son mur. Et en grand format!

— Je l'ai aimé, j'ai cru qu'on pourrait vivre quelque chose ensemble. Mais il y avait sa femme, d'autres femmes et je me suis lassée. On ne se voyait plus depuis deux ans.

— Ça alors! Je ne t'imaginais pas tomber amoureuse d'un type avec ce profil. Parce que c'était quand même un sacré tordu... Tu vois, j'ai envie de dire qu'il a péri par où il a péché. La piste du meurtre passionnel est celle qu'on privilégie.

Paoli a été assez subtil pour ne pas me citer *Les Rois maudits**. Il se lève et prend dans le tiroir du bureau une pochette orange.

Merde ! Les tiroirs ! J'ai fouillé la bibliothèque, passé des heures sur l'ordi et j'ai zappé l'endroit le plus évident !

— Tu peux peut-être m'aider à comprendre. Il s'agit de coupures de presse annotées au sujet de la Compagnie du Levant. Ce qui m'étonne, c'est le titre du dossier : « Catherine de Vouvray. » Ça te dit quelque chose ?

Ce nom me parle, évidemment. Je ne l'ai jamais rencontrée, mais elle est sans doute la femme du diplomate devenu numéro 2 de la Compagnie du Levant, le plus gros armateur de l'Hexagone. On parle de Vouvray pour succéder au « Suédois », financièrement aux abois. Un parachutage de la haute fonction publique, qui ne s'est jamais remise de la privatisation de ce fleuron de l'économie nationale sous le gouvernement Juppé. Certes, l'armement était en déficit chronique, mais ce n'est pas un critère pour ceux qui tiennent les cordons de la bourse au nom du peuple français. Même si les finances publiques sont définitivement exsangues, 1 600 milliards d'euros de dettes aux dernières nouvelles, l'administration, depuis Colbert, ne supporte pas de céder une once de pouvoir. Ces messieurs du Budget, qui ont apporté ces derniers mois la garantie de l'État à hauteur de 3 milliards pour rassurer le pool bancaire créancier, entendent

---

* Maurice Druon raconte dans ce livre l'assassinat du roi d'Angleterre Édouard II par des membres de sa cour. Lui enfonçant un tisonnier rougi dans le fondement, l'un des assassins aurait dit : « Il meurt par où il a péché », par allusion à l'homosexualité du monarque.

bien bouter le patron actuel hors des murs. Même si cette somme ne représente qu'un tiers du chiffre d'affaire annuel de la société. Le service éco du journal nous explique à longueur de réunions que Vouvray et sa clique appliquent la bonne vieille ruse du cheval de Troie ; qu'ils attendent le moment opportun pour retourner les créanciers en leur présentant un nouvel actionnaire capable de garantir les dettes de la société. Les plus hardis prononcent même le nom d'un industriel amateur de yachts, ami de l'actuel président de la République. Et le raisonnement de nos spécialistes va bien plus loin : ce dernier serait trop content de solder les comptes du passé, surtout quand il s'agit des affaires internes de sa famille politique. Dans la rédaction, cette vision des choses donne lieu à des débats enflammés avec le service politique. Parfois, le service diplo en rajoute une couche en expliquant doctement que le « Suédois » était un proche du Premier ministre libanais assassiné en 2005, dont le fils héberge à Paris l'ancien président français. CQFD. La bataille capitalistique en cours trouverait sa source dans un règlement de comptes au sommet de l'État.

Le lecteur n'a pas droit à toutes ces analyses subtiles. Le journal se contente de publier des éléments factuels convenus. Moi, ce type d'affaire ne m'intéresse pas. Je sais qu'on sera toujours manipulés car peu de journalistes sont formés pour démêler ce genre d'écheveau, quand bien même ils auraient le temps d'aller au fond des choses. Quant au citoyen, il s'en fout encore plus, partant du principe qu'il vit dans un monde pourri et que, de toute façon, on lui cache la vérité.

Donc, j'ai sans doute croisé Vouvray dans des cocktails mondains, certainement accompagné de sa femme.

Mais rien de plus. C'est ce que je résume d'une phrase à Paoli, qui me tend un article de mon propre journal, illustré d'une photo. La femme de Vouvray est en gros plan. Une bouteille de champagne à la main, elle s'apprête à baptiser le nouveau porte-containers de la compagnie maritime. Le premier des cinquante géants fabriqués par des chantiers coréens. C'est, entre autres, cette commande mégalo, passée juste avant la crise financière mondiale, qui a plombé les comptes. Son mari se tient légèrement en retrait. Cette femme, je la connais depuis cette nuit sous toutes ses coutures. Je retrouve tout mon sang-froid.

— Jamais vue!

Conscient qu'il n'arrivera pas à tirer grand-chose de plus, Paoli remet la photo dans la chemise en carton.

— À mon tour, maintenant. L'arme utilisée, c'était quoi?

— Rien de très original, un P38. Ton ex a été abattu à bout touché. La première balle a pénétré par la tempe gauche. Ce détail nous interpelle, dans la mesure où il courait. Ça signifie que le tireur joggait avec lui car on n'a pas retrouvé de traces de pneus sur les lieux… et qu'il était droitier.

— Donc, il n'a pas été suivi à moto?

— C'est ce que je viens de te dire! Soit le tueur a piqué un sprint sur quelques mètres pour le plomber. Soit il courait avec lui et a accompli son forfait dans la foulée. Cette dernière hypothèse serait plus simple pour nous, dans la mesure où il ne pourrait s'agir que d'une de ses connaissances. T'as pas une idée, par hasard?

— Non, pas vraiment. Moi, je ne cours pas, je nage! Et t'arrêtes tout de suite avec l'ex. Depuis deux ans, à part un déjeuner de temps à autre, on ne se voyait plus. Et on ne partageait pas les mêmes relations, si tant est qu'un jour on ait eu des amis communs. Sa vie était bien cloisonnée. À un moment, je me suis retrouvée dans une case, mais je n'avais pas accès aux autres. Et la seconde balle?

— Il était déjà mort. On va exclure le coup de grâce de mauvais goût. C'est donc un message du commanditaire. C'est pour ça qu'on est sur la piste d'un mari jaloux. On travaille aussi sur l'hypothèse d'un règlement de comptes impliquant le Milieu. Depuis qu'Orsoni Mattéo a pris sa retraite à Neuilly, ça part à vau-l'eau. Les petites frappes se prennent pour des caïds. Ça défouraille à tout va. Il aura été éliminé par une tête brûlée. Peut-être une histoire de proxénétisme. Il aura voulu jouer les chevaliers blancs en tentant de sortir une fille du tapin, ou à l'inverse chercher à se faire de l'oseille en en mettant une au turbin. Il avait ce lupanar. Il donnait des cours de communication à la fac. Il pouvait facilement trouver de belles étudiantes en manque d'oseille et connaissait suffisamment de types friqués pour tenter sa chance dans ce business lucratif. Voire doubler la mise en filmant les ébats à l'insu du client, puis en le faisant chanter. Après tout, c'était un tordu et ça vient de se produire dans les plus hautes sphères en Russie.

Je suis atterrée. Ça doit se voir car Paoli ajoute :

— Non, là, je te charrie. Nos spécialistes ont passé la pièce au peigne fin. Ni caméra ni micro cachés.

— Sur Vouvray, je peux lâcher le nom?

— C'est ça ! Sur quelles bases? Un nom sur un dossier que tu n'as jamais vu ! Et moi non plus, par la même occasion. Fais pas chier, Annabelle, parce que sinon je te convoque pour une explication officielle au sujet de cet appartement et du tableau !

Quelle conne, j'ai failli me couper. Il ne sait pas pour les vidéos. Mais le message est clair. C'est lui qui mène le jeu désormais. Il me tient et je ne pourrai pas sortir d'infos sans les lui avoir communiquées au préalable. Je n'ai même pas le temps d'achever cette pensée qu'il la verbalise en guise de conclusion à notre entretien :

— Je compte sur toi pour me tenir informé de ce qui se dit dans ton milieu. Je ne veux pas découvrir chaque matin en ouvrant le journal de nouvelles révélations.

Ben voyons… Il m'a lâché le nom d'Orsoni. Je vais téléphoner au type de la locale du *Parisien* pour savoir s'il a des billes sur la vie de retraité du « dernier parrain marseillais », aux dires de la police. La justice n'a jamais suivi : cent fois arrêté, cent fois relaxé.

Nous sortons de l'appartement. Descendons côte à côte la rue des Mouettes sans échanger un mot. Il oblique à gauche, vers son bureau. Moi à droite, vers la mairie. J'attends qu'il ait passé le coin de la rue pour rebrousser chemin. Il n'a aucune raison de se méfier. Je ne suis pas supposée avoir une clé.

6
Un inventaire

Il m'avait dit un jour qu'il y avait en lui une part de féminité. La preuve, il tenait un journal personnel. Journal intime, même, puisqu'il y consignait ses rencontres, avait-il ajouté, telles ces adolescentes qui font la synthèse quotidienne de leurs émois. J'avais pris cette confidence pour une tentative d'approche, afin que je livre à sa curiosité mon propre journal. Il était mal tombé : je n'avais plus éprouvé ce besoin depuis l'âge de quinze ans… Un premier chagrin d'amour. Rentrant du lycée, désespérée, j'avais noirci trois ou quatre pages, un kleenex à la main. Quelques jours plus tard, amoureuse de nouveau, mais d'un autre, je m'étais trouvée tellement ridicule en me relisant que je m'étais juré de ne jamais plus recommencer.

Pierre, lui, l'a fait. Il n'a gardé que la jaquette de *L'Immortel* de Franz-O. et a remplacé le volume par des feuilles dactylographiées, reliées au bon format. Le choix n'était sans doute pas innocent. Outre le titre, qui suggère une volonté mégalo de laisser une trace de son passage sur cette terre, j'y vois un hommage indirect à l'auteur. Pierre considérait que Giesbert, Phocéen d'adoption comme nous, avait donné un nouveau souffle au « polar marseillais », orphelin depuis la disparition d'Izzo. Hormis sa note manuscrite, c'est le seul secret que m'ait livré sa bibliothèque après deux heures de fouille minutieuse.

Sur la première page, un titre : « Compilation de trente années de fiches. Marseille, le 14/01/2010. » Suivi d'une dédicace : « À toutes celles que je n'ai pas dû payer. » Tu parles d'un journal ! Comme d'habitude, il a travaillé à l'arrache, au dernier moment. Il aura pondu le « livre de sa vie » d'une traite, en une nuit. Accompagné, dans sa solitude, par l'alcool. Du bordeaux vraisemblablement, pour garder les idées claires le plus longtemps possible. La date coïncide avec celle de la première vidéo. Traumatisé d'avoir dû payer « Mme de », il aura vraisemblablement cherché à exorciser sa déchéance… par le verbe. Pas besoin d'être psy, le sommaire du fascicule est révélateur.

Dépouillement de rigueur. Il a couché toutes ses conquêtes, sans ajouter ni titre ni commentaire. La liste commence par des prénoms déclinés par ordre alphabétique. Elle s'achève par une succession d'associations, du type : la femme du croupier, la fille du patron du SRPJ, l'amie de Manu… pour celles dont il aura oublié le nom, sans doute. C'est élégant ! Le mémo d'un goujat.

Aucune Lucile ou Marie-Eugénie : ses deux épouses sont absentes du tableau de chasse. En revanche, je figure sur le listing, alors qu'il m'avait répété à maintes reprises que j'étais « à part »… Au moins, piètre satisfaction, suis-je la seule Annabelle. Car il y a Sophie 1, Sophie 2, Sophie 3. À coup sûr des filles de la même génération. Puisque, dans ce domaine comme dans tant d'autres, les choix sont affaire de mode.

Chacune d'entre nous a droit à un chapitre… calibré. Un « feuillet réglementaire », dans le jargon de la presse. Il y en a vingt-trois. J'occupe la deuxième place. Avant moi, une prénommée Agathe. J'hésite à sauter la page pour étudier directement mon cas. Mais autant commencer par le commencement. Ça me mettra dans le bain.

Agathe: Romance.

La quarantaine. Même taille que moi, brune, quelques kilos en trop, cul plat tirant sur la goutte d'huile, toison fournie, seins petits et ronds. Épouse modèle et mondaine remarquée la veille au cours d'un dîner pour son sens de la repartie, sa culture et surtout son côté extraverti. Séjour parisien. Visite express au Carrousel du Louvre pour le Mondial de la photo. Foule, mais ni file d'attente ni besoin de payer grâce à la carte de presse. Rencontre fortuite sur l'espace consacré à Araki. Elle est seule, en pâmoison devant des photos du maître du bondage. Des corps de femmes, taille réelle, nus, suspendus, corsetés par des cordes en chanvre. Surprise réciproque. Dans le stand, un attroupement fasciné par l'esthétique malsaine du pape de la photographie japonaise. Je saisis sa main et la porte à mes lèvres. Geste d'un parvenu en public, mais elle sait, comme toutes mes relations, que je ne claque jamais les deux bises réglementaires. Elle saisit ma tête. M'embrasse. Je n'ai pas roulé de pelle depuis des années. J'offre volontiers ma queue, jamais ma bouche. Et là, je me laisse faire. La scène muette se renouvelle. C'est elle qui galoche. Devant ces représentations de femmes offertes, nos libidos s'exacerbent. Frôlements, mains qui s'égarent, on s'arrache de l'expo. Dehors, il pleut à verse. Le premier porche d'hôtel avenue de l'Opéra fait l'affaire. Là, c'est moi qui prends l'initiative. Sa robe droite en soie est trempée. Elle colle à sa peau. Pas question de l'enlever. Pas de préliminaires non plus. Je l'ai entendue, lors du dîner, moquer cette époque où « les hommes se sentent obligés d'être prévenants au pieu, passent des heures la tête entre les cuisses des femmes pour stimuler leur clito, alors que rien ne vaut une bonne pénétration ». Madame est servie, je la baise direct, le cul posé sur une fausse commode Louis XV. Elle n'a pas de capotes. Du coup, elle stresse un peu mais cède à tous mes caprices. Alchimie parfaite entre nos corps. 20/20. 1X.

Le salaud ! Non seulement il met des notes, mais il ne peut s'empêcher de préciser l'intensité du plan cul. Monsieur décerne des X du hard, comme des étoiles Michelin ! Une habitude prise à l'époque où il était critique gastronomique, sans doute ? Par contre, aucune indication de date. L'expo Araki, c'était… il y a quatre, non… cinq ans. Le fumier ! Il y a cinq ans, nous… C'est qui, cette salope ? Et sur moi, il dit quoi, « feu mon grand amour » ?

Annabelle : Regrets.

Titre de merde !

35 ans, taille moyenne, mince, vraie rousse, peau très blanche, seins lourds, cul bombé, archi-cambrée, fossettes au creux des reins, le triangle classique mais poils très fins qui laissent les grandes lèvres à nu.

Très classe, la description…

Parisienne, débarquée à Marseille depuis quelques années, pour cause de mutation du mari. BCBG, beau cul belle gueule. Correspondante du Parisien *dans les Hauts-de-Seine, elle vient d'être embauchée par la PQR. Sans doute par piston. Neuilly abrite pas mal de sièges de multinationales. Ça crée des contacts. Un conflit de la navale qui n'en finit pas. Des négociations à la préfecture qui s'éternisent. Interruption de séance à l'heure du déjeuner. Je lui propose de venir découvrir le port industriel, coupé de la ville par des* *grilles qu'elle n'a jamais franchies. J'ai acheté du rosé dans un bar ainsi que deux verres à pied. La digue du large, déserte. Joli mois de mai. Il fait chaud. Elle est en robe blanche. Bustier moulant, jupon léger. Discussion enlevée, amusante. Elle s'approche de l'eau. Ses lunettes tombent à la mer. Un modèle vintage qu'elle n'a aucune chance de retrouver. J'accepte de plonger si, en échange, elle se soumet à un gage. Elle est joueuse. Comme je n'ai pas de maillot, elle doit au préalable se foutre à poil. Petite hésitation. Elle retire sa robe. Libère ses seins d'un soutien-gorge blanc et fait glisser un string de la même couleur. Loin de se dissimuler, elle se cambre et me fixe sans aucune pudeur. Adjani devant la grange dans* L'Été meurtrier. *Gêné, je me retourne, me désape en moins d'une minute, chaussures anglaises à lacets comprises, et plonge. L'eau est glacée. Je mets du temps à trouver ses putains de lunettes. Il y a pourtant moins de deux mètres de fond. Je remonte sur les blocs de béton. Pas de serviette. Je suis là, debout, face à elle, mouillé, transi de froid, minable avec ma bite recroquevillée planquée derrière mes mains. « Alors, le gage ? C'est quoi ? » Elle a repris sa pose provocante. Au ton de sa voix, elle se fout de ma gueule. Sonneries simultanées de nos portables. Ce sont les confrères restés à la préf qui nous préviennent qu'un accord est imminent. Il faut qu'on rapplique fissa. « La totale à l'heure du déjeuner, demain. Je te donnerai le lieu du rendez-vous. » 0*/20. 293X.*

Contrairement à ce que je pensais, le X n'est pas un Award du porno, mais le nombre de fois où il nous a baisées. Ce qui n'est guère plus délicat. En même temps, je n'ai pas à me plaindre, je détiens le record du livre. C'est dingue, je ne l'ai jamais vu noter ce genre d'information.

Je ne suis jamais tombée sur un carnet avec des pages bâtonnées et des noms de filles. Ainsi, nous avons fait l'amour deux cent quatre-vingt-treize fois? En dix ans, soit cinq cent vingt semaines, ça n'a rien d'exceptionnel. Quant au zéro… Un astérisque au bas de la page précise qu'il s'agit de son ressenti la première fois. Si seul compte le critère sexuel, le zéro pointé qu'il m'attribue se justifie, puisque rien ne s'est passé ce jour-là. Il a même un soupçon de tact à mon égard: je suis la seule dont il n'évoque pas la vraie première. Pas de sexe explicite me concernant dans son book. Je suis un peu frustrée tout de même. Le 20/20 d'Agathe me reste en travers de la gorge. J'ai bien envie de m'atteler, moi aussi, à un travail de mémoire du même acabit. Combien, qui, comment, où, quand? Pas sûr que cet enfoiré décroche la palme pour la première.

Me revoilà projetée dans notre histoire. La description de la scène est conforme à la réalité factuelle. Mais il manque l'aspect psychologique lié à ma situation. C'est une volonté délibérée de sa part car nous avions souvent évoqué ce premier pas et il en connaissait tous les dessous. Il les a sciemment zappés. Je passe pour une allumeuse et une salope! À cette époque, avec sa grande gueule, je l'avais déjà remarqué. Il détonnait parmi les confrères. Comme moi, il n'était pas marseillais. Il refusait de prendre l'accent et d'employer des tournures locales.

Mais surtout, ça ne collait plus avec Alain. Nous avions imaginé qu'en déménageant dans le Sud nous effacerions d'un coup tous nos problèmes de couple. C'était l'inverse. Accaparés par nos boulots respectifs, on ne se voyait plus que tard le soir et au petit déjeuner. À peine le temps de régler les problèmes quotidiens des enfants et de la maison. Alain détestait cette ville salle, les gens mal éduqués et égoïstes, les TPMGRPLA: tout pour ma gueule, rien pour les autres. Il n'aimait ni la chaleur ni le soleil. Tous les prétextes lui étaient bons pour remonter quarante-huit ou soixante-douze heures chaque semaine au siège, à Paris. Me laissant seule, sans amis ni relations.

Les Marseillais vivent en vase clos. Ils entrouvrent leur cercle, une fois, par curiosité, pour découvrir les nouveaux arrivants. Puis, plus rien. Par la suite, à chaque rencontre fortuite, la formule est toujours la même : « On se téléphone ! Il faut absolument que vous veniez dîner. » Mais le coup de fil ne vient jamais. Au début, lorsque vous rendez les premières invitations, vous ne pouvez éviter les impairs. Le mardi soir, par exemple, pas de mondanités possibles. C'est soirée filles obligatoire, car ces messieurs sont en train de préparer le monde de demain, au sein de leurs loges respectives. Mais personne ne vous a informé de ce particularisme local. Certaines cohabitations sont inconcevables. Mais « on » s'est bien gardé de vous le dire ! Souvent, des histoires de cul sont à l'origine des situations conflictuelles. Résultat : une soirée plombée dont le flop fera le tour de la ville. Votre table sera désormais blacklistée. La cité phocéenne compte huit cent mille habitants, mais la bourgeoisie marseillaise est un microcosme comparable à celui d'une sous-préfecture de province. Tout le monde s'épie. Tout le monde s'envie. Détestable !

Ce jour-là, la digue, le rosé sur le soleil, ou l'inverse, m'avaient désinhibée. D'où mon attitude bravache, totalement inhabituelle. La perspective du passage à l'acte le lendemain, en revanche, m'avait empêchée de trouver le sommeil. Dans la chambre, ça n'avait pas été facile non plus. Le fantôme d'Alain rôdait, du moins au début. Et, tout comme Agathe, je n'avais pas de préservatifs ! On s'imagine toujours que cette responsabilité relève du

Casanova de service. Or Pierre n'en avait jamais sur lui. Ça n'avait pas été le nirvana. Suffisant quand même pour me donner envie d'y revenir. 12/20, selon ses critères. Il s'était amélioré par la suite, à moins que mon corps se soit adapté. Agathe, elle lui aurait mis combien?

Retour à l'opuscule. Je feuillette. Les situations sont variées. Parfois malsaines, comme cette étudiante gagnée au poker. Elle a accepté de compléter la mise de son petit ami qui dispose d'un brelan et ne peut renchérir sur les sommes déjà sur la table. Pierre avait un full. Ce texte-là est particulièrement cru. Il se vante d'avoir fait craquer la fille. Ça me met mal à l'aise.

Les anecdotes se succèdent. Au fil des pages, il accentue les descriptions d'actes sexuels, même lorsqu'ils sont basiques. L'écriture d'une traite associée aux effets de l'alcool, sans doute. C'est répétitif, il n'y a ni lien ni fond. Que du superficiel. Et pas de Catherine: dommage, ça m'aurait permis de confronter l'écrit à la réalité. À part deux consœurs qui m'ont précédée – il s'était fait un malin plaisir de me le dire pour me rendre jalouse, car je les côtoyais quotidiennement au journal –, je ne reconnais personne. Ce n'est pas plus mal, je n'ai ainsi aucune excuse pour perdre mon temps. L'urgence est au décryptage de la page griffonnée trouvée hier. Elle est toujours dans mon sac… Je dois montrer à Rulat que je progresse.

Je m'installe à son bureau. Un ancien pianoforte reconverti. Le large plateau en acajou est vide, hormis deux boîtes à cigares Partagas. L'une accueille neuf couteaux de poche, l'autre le même nombre de stylos-plumes. Toujours son âme de collectionneur.

Je m'attelle à la tâche. Je déchiffre et retranscris mot à mot sur une feuille vierge. Des phrases mal construites écrites à la main, des mots illisibles, des ratures et des flèches un peu partout, pour indiquer des associations de noms ou d'idées. Travail long et fastidieux. Au bout d'une heure, j'ai une version à peu près cohérente, mais il me faut la relire deux fois afin d'être sûre de bien comprendre et de mesurer l'ampleur de l'enquête qu'il menait.

Pierre bossait sur un vaste trafic de clandestins acheminés dans des containers. Coût du passage : entre 15 000 et 20 000 euros par tête. Chaque boîte aménagée pouvait accueillir une quinzaine d'immigrants. Plus rentable que le transport de marchandise et net d'impôts. C'est le débarquement massif en Corse, au mois de décembre, qui lui a mis la puce à l'oreille. Il a noté tous les navires ayant croisé au large de l'île ce jour-là. Puis il a fait des recoupements.

Plusieurs noms figurent au dos de la feuille. Tous sont suivis d'un point d'interrogation. Ils ont en commun, du moins pour ceux que je connais, d'être liés au port. Vouvray est de retour. Rostand, qui lui aussi a une particule, je l'ai déjà interviewé. Il dirige une compagnie de ferries. Spignoli est le patron d'une boîte de sécurité qui travaille sur les quais. Pendorro n'est pas un inconnu non plus : il s'agit d'un docker à la mauvaise réputation. Enfin, il y a Belkacem, un des responsables de l'union locale des pêcheurs. Pour les autres, une dizaine, c'est moins précis. Je reconnais un transitaire, un manutentionnaire. Tous doivent graviter dans le même milieu. Il existe un annuaire recensant tous les acteurs de la filière maritime. Ce sera facile de me renseigner. Sans compter les collègues de la gazette du PAM, le port autonome de Marseille. Journal spécialisé s'il en est, à qui rien n'échappe. Ils seront trop contents de m'étaler leur savoir, eux que notre profession considère comme des « tout petits », des moins que rien. Ce n'est pas leur qualité journalistique qui est en cause, mais le tirage de leur journal. Car aujourd'hui, seul l'audimat impressionne. Les journalistes dont le texte est le moins fouillé, le moins élaboré, sans parler du peu d'infos qu'ils donnent à la minute, sont ceux de la télé. Et pourtant, ce sont eux les stars.

Au bas de la page, deux prénoms féminins. Catherine, dont apparemment il ne peut plus se passer. Et Iseult. Des flèches relient ces femmes entre elles. De toute évidence, il s'agit d'actrices clés. Ce qu'il y a de bien avec Iseult, c'est que ce n'est pas un prénom commun à Marseille. Je suis pratiquement sûre, avec l'aide de Google, de trouver son pedigree.

Il est temps de filer au journal ! Pas question de lâcher cette bombe maintenant. Je vais reprendre l'enquête de Pierre à mon compte. Il me doit bien ça. Pour demain, Rulat se contentera du portrait. Le service police-justice reviendra sur les circonstances du meurtre. Il n'ira guère plus loin. Les flics n'ont pratiquement rien.

7
Une blonde

France Info, 7h15. Pierre Saint-Gilles, notre confrère assassiné dimanche soir, sera enterré vendredi au cimetière Saint-Pierre. Le maire de Marseille a fait savoir qu'il se rendrait à ses obsèques. L'enquête est au point mort. Aucune piste n'est écartée, a indiqué le procureur de la République…

Depuis vingt-quatre heures, la mort de Pierre fait l'ouverture de tous les flashs d'info.

Il m'a suffi de quelques clics pour retrouver la trace d'Iseult. Elle s'affiche sur Facebook. Il n'y a qu'une seule Iseult sur Marseille, et le nom qui suit est à la hauteur: Romanet d'Astruc! Première surprise, sa page d'accueil est en contradiction totale avec ce que suggère son patronyme. Elle pose en Lara Croft! Mais blonde. À la place du gros pistolet en argent, elle tient un iPad dans la main droite. Une photo très étudiée, sur fond noir, de toute évidence réalisée par un pro. Elle ne fait pas mystère de sa date de naissance, 1972. Elle approche donc la quarantaine. Elle est sacrément gaulée, d'où le combi-short moulant. Il faut oser... sauf qu'il y a une seconde lecture. En analysant son profil, je comprends qu'elle poursuit un objectif commercial. Sa spécialité est la « valorisation de l'outil Internet » (*sic*). Lara Croft étant la première star interplanétaire du monde virtuel, la comparaison subliminale ne manque pas d'ambition et va de pair avec l'étalage de son parcours : ingénieure en informatique, diplômée d'une école de marketing doublée d'un MBA, elle a fait ses premières armes chez un fabricant américain de cosmétiques avant de rentrer en France. Toujours sur sa page, elle explique qu'« il ne suffit pas de mettre des marchandises en ligne pour qu'elles se vendent », l'internaute doit pouvoir les trouver d'un clic. C'est ce qu'elle propose à ses clients, précisant : « Grâce à mon intervention, le surfeur arrivera directement sur votre site et pas sur celui du concurrent. C'est ce qu'on appelle le référencement, l'essence même de mon métier », fin de citation. En voilà une qui sait se vendre !

Autre info piochée dans son CV, elle est aujourd'hui à la tête de sa propre boîte de « conseil en stratégie ». Elle compte des clients dans la mode et le luxe, sans toutefois en mentionner un seul. Bref, c'est le genre d'*executive woman* qu'on imagine éternelle célibataire. Or, nouvelle surprise, non seulement Iseult est mariée, mais elle a cinq enfants : trois filles et deux garçons. Son mari Mathieu a pour nom... de Rostand. Elle est donc la femme de... Les liens entre les divers protagonistes du mémo de Pierre ne peuvent se résumer à de simples relations de couple. Chacun doit avoir un rôle dans l'enquête qu'il menait. Je dois la rencontrer...

Le mieux pour cela est de prétexter une interview. Le mot impressionne souvent. Et il y a toujours de la place dans la rubrique « Nouveaux Marseillais », le pensum que personne ne veut assumer au journal. Une thématique imposée par le comité éditorial, estimant qu'à travers ces portraits on touche un nouveau lectorat. L'arrivant – terme impropre, puisqu'en général il est installé depuis plusieurs mois avant qu'on ne le repère – est un acheteur en puissance, dixit nos têtes d'œuf. Flatté par quelques lignes dithyrambiques, il se procurera plusieurs exemplaires pour sa famille, ses amis, ses relations professionnelles, voire sa concierge. De là à penser qu'il deviendra un lecteur assidu, il y a une marge! Ces nouveaux venus, pour peu qu'ils occupent des postes à responsabilités, sont courtisés de toutes parts. La municipalité leur organise même des soirées. Autour des petits-fours, tapenades et autres anchoïades, les élus en charge du tourisme, de l'économie, du commerce et même du sport et de la culture leur présentent Marseille. Enfin, pour être exact, la vitrine qu'ils vantent à longueur de publireportages.

L'alibi de l'article est un excellent sésame. Je n'ai aucun mal à obtenir un rendez-vous chez elle, au Roucas, pour un café matutinal. Au téléphone, la conversation est limite audible. Musique, éclats de voix, de rire, bruits de fond classiques d'un bar… Le dernier endroit où je m'attendais à trouver une mère de famille nombreuse à 20 heures passées.

*

— C'était la journaliste pour le portrait qui rappelait. Celle qui m'a laissé quatre messages cet après-midi.

— T'as vérifié son CV, bien sûr?

— Non, pas encore.

— Fais une recherche sur Google pendant qu'on parle. On ne sait jamais. Si c'est bien une journaliste, tu fais comme on a dit car à tous les coups son appel n'est pas fortuit. Elle sait des choses, donc tu la laisses venir et tu adaptes ton discours en fonction.

— Ça va, j'ai compris. On en a déjà parlé. Je ne vais pas nier que je le connaissais, mais je l'oriente sur l'étude. Maintenant, faut qu'on parle de choses sérieuses.

— Ne sous-estime pas l'impact de la mort de Saint-Gilles. Pour le reste, ça va être vite fait : c'est non ! On ne revient pas sur notre accord. C'est moi qui ai pris tous les risques, moi qui ai convaincu les pêcheurs, trouvé l'acheteur japonais, sans parler de la logistique avec les transitaires. Cette discussion, on l'a déjà eue. On pourrait l'avoir encore dix fois que je ne changerais pas d'avis, c'est un non définitif !

— Alors tu vas t'expliquer avec Belkacem.

— Ça, on verra !

— C'est tout vu, il est là. Je viens de le biper.

Un homme sort de l'arrière-salle, défendue par un lourd rideau rouge. La soixantaine, tout en muscles et en puissance malgré son mètre soixante-cinq, chauve, teint mat, visage buriné, Belkacem ne passe pas inaperçu. Le regard qu'il pose sur les deux femmes installées dans une des alcôves du club est dur, hostile, presque malsain. Il s'empare d'une chaise, s'assied à califourchon. Ses avant-bras tatoués reposent sur le haut du dossier, ses mains épaisses et calleuses s'agitent devant le visage de ses interlocutrices, côte à côte sur la banquette, face à lui. Pas de salamalecs :

— On fait désormais part à trois. Vous avez eu l'idée, madame, mais c'est moi qui fais tout le boulot. J'ai dû immatriculer mes trois thoniers en Libye, mais aussi ceux des Sétois qui nous ont rejoints. À cause de cette putain de Commission européenne vendue à Greenpeace, les douanes nous donnent la chasse dès qu'on sort des eaux internationales. Maintenant, c'est le bordel dans les eaux territoriales algériennes, tunisiennes et même libyennes. Les types arrosés changent tout le temps. C'était plus simple avec les entourages de dictateurs ! Mes gars se sont fait arraisonner plusieurs fois ces dernières semaines. Y'en a même qui sont allés au gnouf. Bref, j'ai des surcoûts.

— Je prends ces aléas en compte et vous le savez, Idriss.

— Y'a pas d'Idriss, madame de Vouvray ! On s'est entendu avec Mme de Rostand, ce sera part à trois. Et encore, c'est honnête ! Parce qu'on n'a plus besoin de vous.

— C'est vrai, Catherine. Idriss pêche le thon rouge. Moi, je maîtrise désormais toute la filière logistique. Toi, finalement, dans notre association, tu sers à quoi ? À rien !

— Et puis y'a des problèmes sur le port. Y'a le boss qui a eu vent du trafic et me cherche des poux parce que je l'ai tenu à l'écart. Va falloir que je m'explique. C'est un milieu que vous avez même pas idée, madame !

Sur cette saillie caricaturale, Belkacem se lève, tourne les talons et sort.

— Tu avais besoin de le faire venir ? Qu'est-ce que ça signifie, Iseult ? Tu me menaces ?

— Prends-le comme tu veux, mais tous les deux on est sur la même longueur d'onde et si ça tourne mal pour les clandestins, on veut au moins protéger les revenus de la filière thon. Maximilien est blindé de tunes. On t'offre une rente et ce, alors que vous allez probablement quitter Marseille dans les jours à venir.

— Pourquoi quitterait-on Marseille ? D'où ça sort ?

— Mathieu est certain que l'assassinat de Saint-Gilles va finir par mettre les flics sur la piste des clandestins.

— À qui la faute ? Moi, malgré ce qu'il m'en a coûté, j'ai fait ce qu'on avait décidé…

— C'est ça, fais ta mijaurée. Ose me dire que tu n'as pas aimé.

— Je te le dis droit dans les yeux ! Mais ce n'est pas le problème. Qu'est-ce que ce trafic de clandestins a à voir avec mon mari et moi ?

— Rien sans doute, sauf que Maximilien est quand même le patron de la compagnie par laquelle passe le gros des containers !

— N'importe quoi ! À ce compte-là, ton mari tombera également ! Je te rappelle qu'il est lui aussi patron de lignes. Une petite compagnie, je te l'accorde, mais il sera éclaboussé tout autant. Quant à Saint-Gilles, j'ai ma petite idée sur sa source principale…

— Ah oui ? Ce que je sais, moi, c'est qu'il vaudrait mieux que la police ne retrouve pas son ordinateur. Il y stocke une vidéo dont tu es l'actrice principale.

Catherine marque un temps d'arrêt. Se saisit d'un verre posé sur la table et avale son contenu cul sec.

— Tu ne m'apprends rien. Il me l'a dit… Mais lui aussi est dessus, alors… Sur ce, à plus. J'ai rendez-vous à côté. On va à l'opéra ce soir, avec Maximilien. Je n'ai aucune envie qu'il me voie sortir de ce bouge.

— Hé ! Avant, tu règles les mojitos. Tu en as pris trois et moi un seul, puisque tu viens de t'enfiler le mien. Au fait, pour la journaliste, j'ai la réponse. Tout est OK, elle est bien journaliste. Je fais comme on a dit.

*

Heureusement que je suis à moto ! En plus des embouteillages quotidiens, se déplacer dans ce quartier où la largeur des rues est inversement proportionnelle à celle des berlines est un enfer.

Les Rostand habitent une villa sans « vue mer », perdue dans le dédale des boulevards et autres avenues qui, dans n'importe quelle ville, s'appelleraient impasses ou traverses. Mais sur la carte de visite, ça en jette. Ils habitent le VIIIe, le Neuilly marseillais en mieux, puisqu'au cœur de la ville. L'ouverture de la grille a été déclenchée à distance. Le jardin apparaît, petit, mais la maison semble vaste. C'est une ancienne bastide. Je remonte l'allée de gravier clairsemé où stationne un monospace. Pas de piscine, juste un bassin carré peu profond pour que les enfants puissent faire trempette. Il est vide et sale, envahi de feuilles. L'été est encore loin, mais tout de même… Sous un auvent, une Porsche grise rutilante et décapotable.

Iseult se tient sur le perron. C'est une fausse blonde. Ses longs cheveux tombent sur un pull gris en cachemire. Bien en évidence entre les deux seins, mise en valeur par un soutien-gorge à balconnet, une croix en or. Autres bijoux, aux doigts cette fois, un rubis et une alliance, attributs des fiançailles et du mariage. Je m'apprête à rencontrer une catho lefebvriste… Un jean serré met en valeur le galbe de ses fesses, ses jambes interminables, ses boots en croco. Léger maquillage.

De mon côté, alors qu'en reportage j'ai l'habitude de m'habiller « pratique », aujourd'hui j'ai fait attention. Pas question d'être en position d'infériorité psychologique, il ne faut pas qu'elle puisse me prendre de haut. Non seulement je ne dénote pas, mais nous avons les mêmes codes « bobo ». Moi aussi, je suis en jean, moi aussi, j'ai un cachemire, mais griffé, et mon cuir cintré en impose. J'ai un diamant au doigt, de belle taille, à la monture moderne. Ce qui n'est pas le cas de son rubis sur or jaune, d'un classicisme totalement suranné. J'ai fait refaire ma bague l'an dernier, juste avant le prononcé du divorce. Un geste symbolique, pour signifier à Alain que je ne lui appartenais plus. Qu'après vingt-deux ans de vie commune son gage d'amour était devenu mon bien personnel. Il avait tiqué. Je crois que, pour lui, la véritable rupture a eu lieu à ce moment-là. Il n'a jamais cru à mon explication. À savoir que je ne le quittais pas « pour un autre que lui », mais pour retrouver le goût de vivre ma vie. De toute façon, il n'aimait pas Michel Jonasz… La décision de nous séparer avait pris du temps, mais ensuite, paradoxalement, tout s'était accéléré. Et le passage devant le juge, expédié. Alain est reparti s'installer définitivement à Paris. Clarisse, dix-neuf ans, l'a suivi, officiellement pour faire son école d'archi. Mais je ne suis pas dupe, elle a plus d'atomes crochus avec lui et aime le luxe. Maxime, quinze ans, est plus bohème. En classe de seconde, il préfère de loin la plongée aux études et la mer à la capitale.

Donc, je n'ai plus d'alliance. En revanche, comme elle, j'ai des boots aux pieds ! Mais les miennes sont en cuir noir, à cause du sélecteur de la moto qui flingue toutes les chaussures. Malgré cet inconvénient et quelques autres, comme le fait de ne pouvoir mettre de robe que très rarement, je n'ai jamais voulu passer au scooter, pourtant bien plus pratique en ville. Motarde dans l'âme, je suis une espèce en voie de disparition.

Enfin, j'ai pris le temps de me maquiller. Ce n'était pas du luxe. Je n'ai pas beaucoup dormi ces quarante dernières heures. Les traits tirés, des cernes et les yeux gonflés, je suis fatiguée. Dans quelques minutes, tous ces détails compteront. Car lorsque je vais aborder le meurtre de Pierre et leur éventuelle relation, le regard indifférent et hautain qu'elle porte sur moi devra changer. J'ai apporté des viennoiseries pour la mettre en confiance au début de l'entretien et mieux la déstabiliser ensuite. Dans un premier temps, il faut que je me force à être raccord avec l'image qu'elle se fait d'une journaliste de PQR chargée de retranscrire les propos d'une « personnalité ». Une analyse qui ne peut être qu'« originale et passionnante »!

Je n'ai pas droit aux honneurs du salon. Elle me conduit directement dans son bureau, au rez-de-chaussée, une pièce sans fenêtre à côté de la cuisine. Manifestement, l'ancien office de la demeure. Des murs blancs immaculés, une grande table en verre, trois chaises transparentes, un iMac grand format. Sous l'écran, son modèle réduit : un MacBook blanc. L'atmosphère de cette pièce est glaciale.

— C'est ici que je travaille. Ça limite les coûts fixes. Dans mon métier, pas besoin de plus. Quand j'ai la visite d'un client, je loue un bureau à l'heure à l'aéroport ou dans les docks. Mais le plus souvent, mon interlocuteur préfère la formule déjeuner et je l'emmène au Sofitel. La vue imprenable sur le port et la cuisine de Frérard laissent aux Parisiens un souvenir inoubliable. Ça facilite la signature des contrats.

Elle est diserte, avenante. La Nespresso, blanche elle aussi, est à portée de main sur une console… blanche. Elle finit par me proposer un café, mais je n'ai pas le choix de la couleur de la capsule. Au moins, elle n'est pas *white*!

Elle hésite face aux petits pains au chocolat, se laisserait bien tenter, mais se ressaisit et se lance dans une analyse consternante de platitude.

— Marseille est une merveille d'intégration, de culture, de mixité sociale et ethnique…

Aucun lieu commun ne m'est épargné. Y compris sur l'OM et le stade Vélodrome dont elle « adooore l'ambiance »… depuis la loge de son mari. En réalité, de

Marseille, je suis sûre qu'elle ne connaît que son quartier. Ses déplacements en Espace doivent s'organiser autour de Provence, le collège tenu par les jésuites où elle a inscrit sa progéniture, du Cercle des Nageurs dont elle est sans doute membre et du haut de la rue Paradis où elle doit faire ses courses chez un traiteur réputé. Je la laisse théoriser sur l'économie en faisant semblant de prendre des notes. Au fond de la poche de mon blouson, un dictaphone capte toute la conversation, à son insu. Elle n'a pas pris la peine de me débarrasser de mon cuir : un manque de savoir-vivre qui m'arrange. Même si je sais que, déontologiquement, je suis *border line.*

Son blabla s'interrompt. Manifestement, elle attend une relance. Je profite de cette pause pour lâcher mon premier Scud :

— J'ai trouvé hier une fiche sur vous dans les papiers de Pierre Saint-Gilles, mon confrère assassiné.

L'effet de surprise est total. Elle s'est crispée. Je n'ai en fait que son prénom à elle, Iseult, pour tenter de dévider la pelote, mais elle l'ignore. Un léger tremblement parcourt ses lèvres. Ma question, courte et ouverte, a pour but de l'obliger à se lancer dans une explication. Mensongère ou pas, ça me donnera toujours quelques éléments pour commencer à cerner cette affaire et tenter de comprendre ce qui relie ces noms. C'est ce que les journalistes appellent « aller à la pêche », associé à la technique de l'entonnoir.

Sans lui laisser le temps de réfléchir, j'enchaîne sur une affirmation censée accentuer la pression :

— Les enquêteurs ignorent que vous faites partie des témoins. Or vous avez été proche de lui, dernièrement.

La ficelle est un peu grosse, mais jackpot ! Elle se jette à l'eau, n'adopte même pas la méthode la plus répandue en interrogatoire, qui consiste à gagner du temps en feignant de ne pas comprendre. C'est pourtant le B.A.BA, il suffit de pousser l'interlocuteur à préciser sa question, afin de savoir ce qu'il sait réellement. Eh bien, non, elle se lance tout de go dans une justification pitoyable sur son absence de civisme ! Et enchaîne sur leur relation professionnelle :

— Il m'avait demandé une expertise sur les outils portuaires informatiques. Il voulait savoir s'il y avait des interconnexions entre les données des armateurs, des transitaires et des manutentionnaires, mais aussi avec celles de la douane et des autres services de l'État. Autrement dit, si toutes ces sociétés et administrations étaient en réseau.

Elle précise qu'après deux jours de travail intensif il avait obtenu un rapport détaillé. Une étude tout ce qu'il y a d'officielle, puisqu'elle avait donné lieu à une facture : 1 200 euros hors taxes au nom de Granny-Smith Consultant, sa société ! Encore une qui n'y va pas avec le dos de la cuillère, question tarifs.

Histoire de faire amie-amie, seconde phase basique de tout interrogatoire, je rebondis sur le nom de sa boîte :

— Granny-Smith, c'est un label original !

Je n'en pense pas un mot, mais « tout flatteur vit aux dépens de »…

— Oui, il s'est imposé comme une évidence. Il y a une explication rationnelle. J'ai commencé à travailler à New York. Et quand j'étais enfant, mes parents passaient en boucle les disques des Beatles. D'où cette référence. On voit que vous êtes journaliste. Il n'y a que Pierre, avant vous, qui m'ait posé la question. Ça n'a même pas interpellé Mathieu, mon mari.

La conne ! Elle me redonne la main.

— Mathieu de Rostand figure lui aussi dans le carnet que j'ai trouvé.

Tu parles d'un carnet… Une feuille quasi illisible. Mais autant lui faire croire que j'ai pas mal d'éléments, ça devrait l'inciter à se disculper sur des points dont je n'ai pas le moindre commencement de début d'idée. Retour au ton sec et discourtois pour souffler le chaud et le froid.

— Vu la profession de votre mari, faire votre mémo n'a pas dû être trop compliqué. Il vous l'a dicté ?

Ses lèvres se pincent, son visage se durcit.

— Vous dites ça pour le montant de la facture ?

Piquée au vif, la voilà partie sur une nouvelle explication. Premièrement, son mari n'y connaît rien. Le site de la compagnie qu'il dirige n'est ni fait ni à faire. Mais surtout, il a des principes et refuse de la faire travailler. Il n'entend pas donner prise aux critiques des syndicats qui auraient beau jeu de lui brandir un contrat familial sous le nez au cours d'une négociation délicate…

— La CGT, vous voyez ce que je veux dire… C'est elle qui tient le port. Mathieu est salarié, il est venu ici pour remettre de l'ordre et faire le ménage… Il ne va pas s'éterniser. Cette compagnie maritime est un confetti pour la multinationale qui l'emploie…

Aucun intérêt, la carrière de son mari. Sa probité, je m'en tape, mais je la laisse parler et s'écouter. Et bien m'en prend car elle revient toute seule sur le travail que lui avait confié Pierre. Et c'est au détour d'une explication technique sur la compatibilité entre les systèmes informatiques, d'une part, et les différents logiciels professionnels utilisés, d'autre part, que je percute. Je viens de comprendre ce que Pierre cherchait à travers cette étude comparative poussée. Il enquêtait sur un trafic massif et avéré de clandestins. Des familles entières errant sans papiers avaient été arrêtées ces dernières années, mais curieusement aucun passeur n'était tombé. Ce n'était pas du fait d'une protection politique particulière. Le ministre de l'Intérieur avait assigné à son administration des objectifs très précis. Le débarquement massif de cent dix-sept Kurdes iraniens sur une plage de Corse l'avait mis en position délicate. Il s'était retrouvé au cœur d'une belle polémique sur la perméabilité de nos frontières. L'immigration était un sujet sensible. La remontée du FN dans les sondages, la possibilité d'un 21 avril à l'envers avec une Marine Le Pen au second tour face au candidat de gauche, comme ne cessait de le marteler à longueur de meetings le cassandre de l'UMP, Jean-François Copé, ne poussaient pas le gouvernement au laxisme dans ce domaine. Pourtant, malgré la centaine de témoins de première main – les clandestins, même s'ils ne parlaient pas un mot de français, avaient été longuement interrogés par la police avant d'être confiés à l'OFPRA –, aucun réseau n'avait été démantelé. Comment était-il possible, malgré le maintien du plan Vigipirate renforcé, de faire voyager illégalement autant de monde, au nez et à la barbe des autorités ?

En consultant Iseult, Pierre avait de toute évidence sa petite idée. Au départ, il ne disposait que d'un élément : le transport avait été effectué par bateau. Pour que ça passe inaperçu, avec le moins de témoins possible, le voyage ne pouvait s'effectuer que dans des containers. Dès lors, la première question logique qui vient à l'esprit est de savoir s'il est concevable d'ajouter une de ces caisses dans le chargement d'un navire sans que cela apparaisse dans les registres de bord. Puis de la faire disparaître dans le port d'arrivée. En écoutant les explications d'Iseult, je réalise que la réponse est oui ! Et ce, malgré ou plutôt grâce à la complexité même des procédures de contrôle, qui doivent tenir compte du nécessaire suivi de la marchandise. J'interromps la spécialiste :

— Il vous avait précisé l'objet de son enquête ?

Pour la première fois, elle marque un temps d'arrêt et semble réfléchir avant de me répondre.

— Bien sûr, mais il m'avait demandé de ne pas l'ébruiter, jusqu'à sa parution dans un hebdomadaire… économique. C'était un article sur le cheminement d'une marchandise, depuis sa fabrication dans une usine du fin fond de la Chine ou de l'Afrique jusqu'aux supermarchés français. Votre collègue était un journaliste pointilleux. Il ne voulait pas écrire d'approximation. Même s'il m'avait dit qu'il n'apparaîtrait pas dans l'ours, pour des raisons de confidentialité, et qu'il signait ses articles de ses initiales. D'où cette recherche poussée. Il était tellement sympathique, tellement passionné que je lui ai proposé d'organiser un dîner avec des amis de mon mari. C'était en tout début d'année. Dans la première semaine de janvier…

Et c'est reparti ! Cette femme est étonnante. Pas besoin de la travailler au corps, elle vous donne tout.

— Il y avait les Vouvray. Vous connaissez ? C'est le futur patron de la Compagnie du Levant… Et les Spignoli, un ancien commissaire désormais à la tête de la plus grosse société de surveillance de la région…

Ils étaient huit à table. Le nombre d'or, selon les conventions, pour qu'un dîner entre convives qui se connaissent peu ou pas du tout soit une réussite.

— La conversation était enlevée, spirituelle…

Elle précise quand même qu'un incident a éclaté, suite à un aparté particulièrement long entre Pierre et Catherine de Vouvray…

— Il faut toujours qu'elle tente d'accaparer l'attention des mâles qui passent à sa portée. Leur discussion portait sur des œuvres flamandes et italiennes du XVe siècle. Mais de peintres mineurs, comme un certain Ghirlandaio que personne, à part eux, ne connaissait autour de la table. Ce que je leur ai d'ailleurs fait remarquer.

Bonjour la curiosité… Elle n'a même pas cherché à se renseigner. Ce portrait de vieillard avec un jeune garçon est tout simplement une des pièces majeures de la grande galerie du Louvre. Pierre, à chaque escapade parisienne, y faisait un saut pour se recueillir quelques minutes devant ce tableau. Il en profitait pour jeter un œil sur le Caravage et le Vinci accrochés presque en face. Je l'avais souvent accompagné.

Iseult continue de pérorer.

— Votre ami était quand même un peu particulier. Après la peinture, il s'est mis à parler cinéma, avec un autre sujet embarrassant : *Belle de jour*, vous savez, le film où Catherine Deneuve se prostitue. C'est une bourgeoise, elle aime son mari qui est beau et intelligent, mais elle passe ses journées à le tromper dans une maison close avec des types moches et libidineux. Il nous a interrogées l'une après l'autre pour savoir si nous en serions capables. Vous imaginez notre gêne… Ce scénario est grotesque. Bien dans le style de l'époque yéyé ! Cette fois, c'est sa femme, charmante au demeurant, qui a mis un terme à la discussion. Pauvre Marie-Eugénie, vous vous rendez compte… Ce doit être terrible pour elle. Ils formaient un si beau tandem, ils avaient l'air tellement heureux…

Le coup du couple parfait et de la veuve éplorée… Il ne manquait plus que ça ! Soudain, cette Iseult m'exaspère. Je me retiens pour ne pas lui balancer que les apparences sont souvent trompeuses. Ça me démange vraiment, mais ça n'aurait aucun intérêt. Sur *Belle de jour*, en revanche, je la contre. Trop c'est trop, son inculture me hérisse. D'autant qu'avec Internet, elle aurait pu savoir que :

— Kessel a écrit ce livre dans les années 1950 pour dénoncer le carcan imposé par la bourgeoisie bien-pensante. Son propos, manifestement, est toujours d'actualité.

— Certainement. Vous pensez que quelqu'un me la paiera ?

— Quoi ?

— Eh bien, l'étude !

Accro au pognon, la nana. Et pas très ébranlée par la mort d'une relation qu'elle avait pourtant l'air de trouver… intéressante. Après lui avoir indiqué que je ne connais personne dans l'entourage de Pierre, ni le nom du journal pour lequel il était censé travailler, et qu'elle a eu raison de ne pas se rendre à l'Évêché, vu l'objet de leur collaboration, je prends congé. D'autant plus aisément qu'une tête blonde vient d'ouvrir la porte du bureau, après avoir frappé.

— Bonjour, madame. Maman, tu n'as pas oublié que tu dois m'emmener à La Pelle pour le test de voile ? Il est bientôt 10 heures.

Ce gamin est une caricature des Triplés de *Madame Figaro*. Avec son polo Ralph Lauren, son bermuda de la même marque et ses docksides Sebago, le tout de couleur bleue, il est bien dans le ton du club de voile le plus huppé de la ville !

— On y va, mon chéri. Mais je te préviens, je ne resterai pas. Je ne fais que te déposer. J'ai du travail.

Elle ne peut pas s'empêcher de me montrer qu'elle raccorde son iPhone à son ordi pour télécharger les dernières mises à jour… et me raccompagne à la porte de sa « propriété », les clés de sa voiture à la main.

Au moment où je démarre la Triumph, elle s'approche et me glisse sur le ton de la confidence qu'elle est un peu inquiète quant à mon article. L'image, dans son métier, c'est important. D'autant qu'elle est sur un gros contrat dans le cadre de Marseille Capitale européenne de la culture en 2013. Je la rassure en lui promettant que son portrait « sera for-mi-dable ».

Connasse, je vais t'arranger, tu vas voir! Et d'ajouter avec un sourire hypocrite:

— Non, désolée, je n'ai pas la maîtrise de la date de parution. Il vous faudra guetter chaque jour. Je crains de ne pas avoir le temps de vous prévenir.

Je viens de faire gagner un abonnement au journal, car elle n'est pas du genre à aller l'acheter en kiosque chaque matin. Je me suis bien gardée de lui dire que Pierre n'a jamais travaillé pour la presse économique. Il n'y connaissait absolument rien. Et il ne signait jamais de ses initiales depuis une expérience pour le moins malheureuse, le jour de l'ouverture de son site Internet. Estimant qu'une des façons de rendre crédibles les webzines était de sourcer les informations publiées, il avait paraphé son premier article « PSG ». Ce qui lui avait valu une paralysie du site, encombré de mails d'insultes. Le pire, c'est qu'en tapant sur son clavier ces trois lettres, il n'avait pas fait le rapprochement avec le club de foot honni des supporters marseillais!

— On reste en contact? Il faut absolument que vous veniez dîner à la maison un de ces soirs avec votre mari!

C'est cela, oui... Elle peut toujours chercher mon numéro. Cette blonde n'a même pas vu que je ne portais pas d'alliance. Sa trace sur ma peau a enfin disparu!

8
Une combine

À Marseille, l'autopsie de Pierre Saint-Gilles n'a pas apporté d'éléments majeurs aux enquêteurs. Le patron du SRPJ a indiqué que l'arme utilisée, un P38, est extrêmement répandue dans le Milieu. Aucune piste n'est privilégiée, vingt policiers sont détachés sur cette enquête.

Retour dans la pièce rouge. J'ai décidé d'en faire mon QG. Impossible de travailler au journal. On fonctionne à l'anglo-saxonne, avec une configuration en *open space* qui empêche toute confidentialité. Une pièce immense, une dizaine de desks les uns en face des autres, pas de poste attitré, pas de bureau personnalisé, on s'installe où il y a de la place. Selon l'heure d'arrivée, on a plus ou moins de choix. Les sièges près des baies vitrées sont pris d'assaut, de même que ceux qui jouissent d'un semblant d'intimité.

Passer un coup de fil, professionnel ou privé, sans que les collègues en profitent relève de la prouesse. Difficile d'échapper aux confidences intimes, rendez-vous ou prises de bec. Sans être à l'écoute, on entend quand même…

Surtout, je n'ai qu'une confiance très limitée dans le système informatique « maison ». Certes, nous avons un code d'accès pour les ordinateurs et un profil personnel, mais il y a des fuites… étonnantes ! La plupart du temps, les bénéficiaires en sont les politiques, parfois la police, informés de la teneur d'articles en cours de rédaction. Nous avons lutté contre cette organisation du travail en totale contradiction avec l'essence même du métier de journaliste, qui repose sur la confidentialité et la protection des sources. En vain. Notre coterie n'a pas pesé bien lourd face au lobby des actionnaires qui ont applaudi des deux mains à l'idée de diviser de moitié le nombre de mètres carrés alloués à la rédaction, estimant qu'un bureau par journaliste ne se justifiait pas.

C'est bien connu, les journalistes, comme les profs, sont toujours en vacances. C'est vrai que, sur le papier, notre convention collective nous attribue soixante-dix jours de congés par an. Et ces propos, martelés à longueur de comité d'entreprise par les représentants des autres catégories de salariés, ont fini par payer. On nous regarde désormais de travers. Au journal, nous passons pour les nantis. Mais les envieux omettent toujours de mentionner la contrepartie de ces repos compensateurs, arrachés de haute lutte en 1976. Ils oublient un peu trop facilement de prendre en compte la spécificité de notre job. Certes, à moins d'un reportage très matinal, notre journée ne commence que vers 9 heures. Encore qu'à cette heure-là nous ayons bien sûr écouté la radio et lu la prose de nos chers confrères de la presse écrite nationale – au niveau local, nous n'avons plus de concurrents. Mais nos « sept heures quotidiennes », pour ceux qui croient encore aux trente-cinq heures, nous mènent souvent au-delà de minuit, voire 2 heures du matin si on retarde au maximum le passage sur les rotatives de la dernière édition, celle de Marseille. Nous n'avons droit à aucun autre jour férié que le 1er mai, seul jour de l'année où la presse est absente des kiosques. C'est en fait le 30 avril que nous ne travaillons pas, les journaux paraissant bien le 2 mai. Nous sommes de permanence un week-end sur deux et, l'édition du dimanche étant aujourd'hui notre plus gros tirage, pas question de la bâcler, comme c'était le cas par le passé. Sans parler du site Internet, une sorte de Golem qu'il faut alimenter dix-huit heures sur vingt-quatre.

Autant de paramètres qui compliquent quelque peu la vie de famille, d'autant que nous sommes pour la plupart accros à notre métier, avec les dérives inhérentes. Ça confine à la vocation, un peu comme les prêtres ou les flics. Y compris, d'ailleurs, sur les questions salariales. Nos taux horaires n'ont rien à voir avec les tarifs pratiqués par Catherine de Vouvray ou Iseult de Rostand. Les journalistes qui, comme moi, sont entrés dans le métier il y a une vingtaine d'années tournent à 2800 euros net par mois. Les jeunes, forts de leur bac + 6, sont trop heureux de trouver un job dans notre usine à fantasmes et acceptent de travailler pour moins de la moitié. Enfin, ceux qui nous jalousent tant oublient un peu facilement que la crise a donné lieu à des coupes claires dans nos effectifs, sans que la pagination ait baissé pour autant... La direction appelle ça l'augmentation de la productivité. Nous, le musellement de la presse car, faute de temps et en raison de la multiplication des sujets à traiter par journaliste, il est devenu très difficile d'enquêter en profondeur et la pression est permanente. Dans ces conditions, pas étonnant que nous soyons la profession qui compte le plus fort taux de divorcés et d'alcooliques. Des statistiques peu reluisantes que la corporation ne publie jamais…

Hors de question, donc, de travailler sur ce dossier au journal. Chez moi, hélas, ce n'est pas la panacée non plus. Je n'aime pas mon appartement. Je l'ai trouvé à la va-vite au moment de notre séparation et j'ai fait l'erreur de vouloir rester dans le même quartier pour ne pas ajouter un traumatisme supplémentaire aux enfants. Je suis passée d'une maison avec jardin et piscine à un T4 de 80 m^2 dans une résidence sans intérêt. Durant quinze ans, la « Parisienne dans l'âme » que j'étais restée a aimé ce quartier de la Grotte Rolland. Totalement excentré, au sud-est de la ville, le bout du bout qui se termine par le cul-de-sac des calanques. Un arrondissement d'autant plus difficile d'accès qu'une seule artère y conduit. Un axe perpétuellement encombré, quelle que soit l'heure du jour et même de la nuit, les boîtes et restaurants branchés s'étant déplacés depuis quelques années sur cette partie du front de mer. Au grand dam de la population locale, venue chercher ici la tranquillité, chèrement payée.

À moto, il me faut près d'une demi-heure pour me rendre au bureau, avec la grande satisfaction, quand même, de longer la mer. C'est long, mais c'est beau ! La vue sur le château d'If, le Frioul, l'îlot Gaby et au loin l'île de Maïre m'a souvent permis de décompresser en rentrant. Mais aujourd'hui, j'en ai marre de ces trajets, marre de cet appart impersonnel, marre de cette vie que je vois défiler sans but ni projet. Pierre, au moins, avait une vraie boulimie d'envies, lui, et il m'en avait fait largement profiter. Jouisseur, égoïste de surcroît, il n'attendait rien des autres, ne pensait qu'à ses plaisirs, ses satisfactions immédiates, personnelles ou professionnelles. Je lui dois des émotions intenses, des moments de vraie folie. Et pas seulement à cause du côté enivrant ou euphorisant de l'adultère. Il considérait la vie comme une partie d'échecs ou de poker et j'aimais jouer avec lui, même si j'ai souffert, et plus d'une fois, parce qu'il multipliait les partenaires. La dernière pourrait bien lui avoir été fatale !

Moi, en dehors de mon travail, je n'ai plus beaucoup de centres d'intérêts. Les hommes sont devenus des accessoires. Des godes vivants et chauds. Je ne drague pas, me laisse draguer et m'amuse à céder de temps en temps à certaines célébrités locales qui s'imaginent irrésistibles, parce qu'elles ont une once de pouvoir politique, économique ou judiciaire. Pour ces mâles qui ne vivent qu'au travers de l'image qu'ils véhiculent, se « faire une journaliste » est un must ! De quoi rassurer leur ego démesuré, indispensable pour survivre dans ce milieu, à défaut d'amour-propre. S'ils savaient ! Nous ne nous retrouvons dans le même lit que parce que j'ai du temps à tuer. Rien de plus. Lors de dîners en tête à tête, il m'est souvent arrivé de me demander ce que je faisais là, tant l'ennui était profond… le genre de questions que je ne me suis jamais posées avec Pierre.

Ici, dans son refuge, je suis sûre d'être tranquille. La police n'a aucune raison d'y remettre les pieds. Paoli et sa clique l'ont déjà passé au peigne fin. J'ai fait le point avec lui brièvement, il y a une demi-heure. Sous pression, il a l'air de ramer sec. Sa hiérarchie, sur les dents, lui réclame des résultats. Le ministre de l'Intérieur en personne suit le dossier. Il est vrai que le président de la République n'a pas pu s'empêcher, lors d'une énième visite d'usine, cette fois dans le Pas-de-Calais, de lâcher une petite phrase du genre : « Un journaliste abattu, c'est une part de liberté qu'on assassine… » La citation n'est pas fidèle, je l'ai captée d'une oreille distraite à la radio, alors que j'étais sous la douche. Il n'a pas de pot, le commissaire : l'actu est plutôt molle en ce moment. Du coup, cet assassinat se maintient à la une de la presse nationale.

La mort de Pierre remonte à deux jours. Les enquêteurs ont interrogé sa femme et ses fils, mais à ce stade ils n'ont aucune raison de leur avoir indiqué l'existence d'un bien immobilier supplémentaire dans la succession. C'est le type même d'élément que les policiers gardent « par-devers eux », abomination lexicale propre au jargon administratif. Tout comme l'endroit du corps où s'est nichée la seconde balle n'a pas été rendu public. Même si de nombreux journalistes sont au courant de ce détail, par corporatisme et parce que rien ne dit pour l'instant que cet élément constitue le nœud gordien de l'enquête, ils ne le mentionnent pas dans leurs papiers. J'ai expliqué à Rulat que j'étais en train d'analyser les dossiers sur lesquels bossait Saint-Gilles. Qu'il me fallait du temps. À toutes fins utiles, j'ai mentionné Orsoni et un possible réseau de prostitution, comme à la grande époque des frères Guérini, Antoine et Mémé. La seule évocation de ce nom a fait l'effet d'un sésame : le réd'chef m'a donné un blanc-seing et assuré que le factuel serait couvert.

Concernant le studio où je me trouve, la surprise des héritiers ne pourra être que bonne, vu l'inflation du mètre carré dans le Panier. À moins de cent mètres en contrebas, l'ancien Hôtel-Dieu a été vendu par la mairie pour être transformé en cinq étoiles. Ce sera le second établissement de cette catégorie en ville. Marseille y met le temps, mais s'embourgeoise inexorablement, au détriment de la population ouvrière qui peuple ce quartier.

J'ai posé son MacBook sur le bureau. J'ai pris aussi mon propre ordinateur portable. Mon premier travail consiste à transférer l'interview d'Iseult du magnéto sur mon PC. Pas de problème, le son est bon. Tout en manipulant le Mac de Pierre, je réécoute l'entretien, en zappant tout ce qui précède le passage où elle parle du rapport. Jongler d'un système informatique à l'autre m'oblige à me concentrer.

J'ai maintenant une idée plus précise de ce que je dois chercher sur son ordinateur. La vignette de la vidéo X est toujours sur le bureau. Tentation fugace de cliquer sur l'icône pour mater Catherine de Vouvray. Je ressens un trouble diffus à la vue de cette femme. Comme beaucoup, à l'adolescence, il m'est arrivé d'être « émue » par une autre fille, plus qu'attirée à proprement parler. J'ai tout de même eu une brève expérience, lors d'un camp d'été de Caravelles, version féminine des pionniers scouts. Faute de douches, la toilette se faisait en groupe dans l'eau glaciale de la rivière. Nous étions une dizaine, de quatorze à seize ans, avec les inhibitions et complexes liés à cet âge. Le premier bain collégial avait soumis notre pudeur à rude épreuve. Du haut de ses vingt ans, la monitrice avait donné l'exemple en se déshabillant la première, le plus naturellement du monde. Ce fut beaucoup moins facile pour nous ! Nous avions ôté nos vêtements au ralenti, en nous épiant les unes les autres. Moi, c'était ma poitrine, plus développée que la moyenne, qui me posait problème. Honteuse, j'avais tenté de garder mon T-shirt. « Pas hygiénique ! », m'avait lancé la grande sur un ton sans appel. Résultat, tous les regards s'étaient braqués sur moi. L'eau ayant plaqué le coton sur ma peau, une jolie brune m'avait aidée à le retirer, m'effleurant au passage. Notre liaison, si on peut appeler ainsi quelques séances d'attouchements, n'avait duré que le temps du camp. David Hamilton, le pape des photos et films érotico-pédophilo-chicos des années 1980, n'avait rien inventé !

Je me retiens de cliquer sur le dossier C1 et d'aller directement au passage de la vidéo où Vouvray, à l'abri derrière son masque, se donne. Maintenant que je connais son pedigree, je suis certaine qu'elle n'a pas fait ça pour l'argent. Seul le jeu devait l'exciter. Je me réserve ce petit bonus pour plus tard. La regarder se caresser sera l'instant de détente que je m'offrirai si j'ai bien avancé ! Grâce à cette vidéo, dont elle ignore l'existence, j'ai prise sur elle. Comme, désormais, sur Iseult. L'interroger sera un plaisir malsain. Je sais que je l'aborderai différemment. Que des scènes me traverseront immanquablement l'esprit pendant qu'elle parlera. Une expérience déjà vécue par Pierre.

Il avait un jour déjeuné avec Clara Morgane. Un rendez-vous purement professionnel : il écrivait pour un magazine masculin un article sur la reconversion de la star marseillaise du porno des années 2000. Elle lançait une ligne de vêtements. La veille, il n'avait pu s'empêcher de visionner un de ses chefs-d'œuvre et était parti à son rendez-vous… échauffé.

— Elle m'a rendu fou ! m'avait-il dit en revenant. Elle n'est pas sortie de son rôle de jeune chef d'entreprise, intéressante d'ailleurs, mais moi, pendant toute l'interview, je l'ai vue nue, écartelée, offerte… Je n'avais même pas besoin de fermer les yeux ! Mon cerveau superposait les images.

Il était dans un tel état d'excitation que nous avions passé le reste de l'après-midi au lit… Ce n'est pas moi qu'il avait baisée ce jour-là, mais Clara. J'avais accepté qu'il mette un de ses films dans le lecteur vidéo et avais joué le jeu en accomplissant les mêmes prestations que l'actrice… Pour ma peine, il m'avait ensuite invitée à dîner dans le meilleur restaurant de la ville, allant pour une fois jusqu'à faire jouer ses relations car aucune table n'était disponible.

Bref, je sais déjà que ma rencontre avec Catherine sera un grand moment ! Pas question de refaire un coup d'esbroufe à la Iseult. Il me faudra des billes pour la cuisiner… efficacement. Et pour cela, il me faut réussir à faire parler cette machine…

J'avais raison ! Quand on sait ce que l'on cherche, l'ordinateur se révèle un outil formidable. L'étude de Romanet d'Astruc, épouse de Rostand, se trouve dans un dossier « Pomme verte », le seul qui ait un intitulé. Tous les autres raccourcis, et ils sont nombreux sur le fond d'écran, n'ont droit qu'à une majuscule pour les désigner. Dans « Pomme verte », plusieurs fichiers, à commencer par la facture, reçue par Internet. Contrairement à ce que m'a affirmé Iseult, son montant n'est pas de 1 200 mais de 1 800 euros hors taxes. Un document comptable qui ne comporte pour tout détail que son tarif à la journée. Cette experte évalue ses connaissances à 900 euros net par jour. Presque un mois de Smic. Son analyse technique ne m'apprend pas grand-chose. Deux petites pages, quasi incompréhensibles pour le commun des mortels.

Dans le même dossier mais dans un doc intitulé « Compagnie du Levant », Pierre a résumé l'étude chèrement acquise en deux lignes : « Les systèmes informatiques sont compatibles. Ils permettent de suivre le cheminement des marchandises déclarées. »

Suit une série de considérations techniques et de chiffres provenant – il a indiqué sa source – du site web de l'armateur, lequel possède trois cent soixante-dix porte-containers. Ceux de la dernière génération embarquent plus de dix mille boîtes chacun. Leur taille obéit à un standard mondial : 20 pieds, soit – Pierre a converti – une surface de 14 m². De quoi entasser pas mal de monde. Des caisses qui peuvent être réfrigérées ou climatisées, en fonction des marchandises transportées. J'ai vu au 20 heures un sujet sur une cité étudiante du Havre, réalisée avec ce type de caissons réformés. Chacun est devenu un mini-studio avec une cabine de douche au centre pour séparer le coin travail de la chambre. À une extrémité, une baie vitrée donne sur un balcon. C'est lumineux. Les étudiants sont ravis… Je doute que les clandestins enfermés durant plusieurs jours dans cet univers confiné soient dans le même état d'esprit ! Des containers dessus, dessous, sur les côtés, devant, derrière. L'horreur absolue. Ils ne peuvent rien faire d'autre qu'attendre. Ils ont accepté d'être emmurés vivants. Ne contrôlent plus rien. Impossible de sortir par leurs propres moyens de cet empilement. Leur vie dépend de gens qu'ils ne connaissent pas, mais dont ils savent au moins une chose : ils sont malhonnêtes.

Pierre a noté d'autres chiffres à la volée, sans doute pour nourrir son papier : « 150 lignes maritimes, 400 ports d'escales, 8 millions de containers transportés, 7 filiales contrôlées à 100 % mais sous pavillons différents… » Cette dernière info donne lieu à un commentaire sur une des sociétés qui opèrent sur l'Afrique de l'Ouest et le Maghreb. Elle a été accusée par une ONG de trafic de bois précieux entre Madagascar et la France. L'affaire a été étouffée. Or un de ses navires, le *Mogador*, est passé au large du cap Corse dans la nuit du 20 décembre. Quelques heures avant qu'une colonne de réfugiés soit repérée sur une route… C'est un remake de *Coke en stock*, la BD d'Hergé.

La note de Pierre ne révèle rien de plus, mais c'est suffisant. Assez d'éléments matériels se recoupent. Le trafic de clandestins passe par la Compagnie du Levant. Reste à savoir qui l'organise. Je ferme ce doc et reviens dans le dossier « Pomme verte ». Deux photos y sont répertoriées. Je double-clique sur les icônes. Il s'agit de deux portraits en couleurs, mais tirant sur le noir et blanc. Ils sont soignés, travaillés, réalisés de toute évidence par le même artiste que la photo d'Iseult sur Facebook. Laquelle apparaît de nouveau, épaules dénudées jusqu'à la naissance des seins. Son visage a une expression étrange. Elle regarde l'objectif, mais ses yeux sont dans le vague. Une expression de douleur les traverse. Elle est comme perdue. La seconde photo, toujours aussi soignée, est plus classique. Elle pose avec Catherine. Leurs deux têtes, côte à côte, regardent l'objectif en souriant. Loin de se détester, comme me le laissait entendre Iseult il y a une heure, ces femmes ont l'air complice.

Une sonnerie… puis deux. Je décroche avant la troisième.

— Une voiture est passée par-dessus le parapet sur la Corniche. Deux morts !

Aucun doute possible, c'est la voix de « Max ». Je le coupe sèchement :

— Ce n'est pas moi qui suis de perm. Et là vous appelez sur mon perso !

— Je sais. Mais il s'agit d'Iseult de Rostand. Les premiers constats sur place sont curieux. Passez me voir… Objectif Presse, sixième étage, dans les docks, Atrium 101.

9
Un hacker

France Info, il est 11h45. Les titres. À Marseille, un drame en fin de matinée, sur la corniche qui surplombe la mer. Une conductrice a perdu le contrôle de sa voiture. Elle est passée par-dessus le parapet. La jeune femme est morte noyée, ainsi que l'enfant qu'elle transportait.

L'écouteur de l'iPhone dans l'oreille droite, je dévale les rues du Panier en direction de la Joliette. Un trajet de dix minutes à peine à pied, et pourtant j'ai pris la moto et mis le pilote automatique. Pendant ce temps, mes neurones carburent, tentent d'analyser les informations reçues ces dernières heures… Les éléments fragmentaires se bousculent, se mélangent sans parvenir à former une pensée cohérente. Une image m'obsède : celle d'Iseult devant la grille de sa maison au moment de mon départ, son fils à ses côtés.

De chez elle, le plus direct pour se rendre au club de La Pelle est d'emprunter le chemin du Roucas. Certes, la pente est raide en arrivant sur la Corniche, mais tout de même, il y a une sacrée marge avant d'atteindre le parapet !

D'autant qu'il est séparé de la route par un trottoir auquel s'adosse « le plus long banc du monde », dixit l'office du tourisme : à Marseille, on ne fait jamais dans la demi-mesure ! Le banc en béton en question permet aux amoureux et aux vieux de s'asseoir face à la mer, entre le marégraphe de Malmousque et l'hélice qui surplombe les plages du Prado. La plupart des Marseillais pensent que cette hélice géante est le vestige d'un ancien paquebot. Il n'en est rien. Il s'agit d'une commande de Gaston Defferre à un artiste local, le sculpteur César. Donc… la voiture d'Iseult, même en perdition, avait plusieurs obstacles à franchir avant de basculer dans le vide. Ce type d'accident est rarissime. Le dernier en date remonte à la fin de l'année, juste avant Noël. Un véhicule s'était envolé par-dessus la corniche. À bord, un jeune couple. Deux morts.

J'aurais plus vite fait à pied. Les rues sont constamment embouteillées, quelle que soit l'heure de la journée, et je suis trop fatiguée et préoccupée pour slalomer entre les voitures. Je vais rencontrer Max : dit comme ça, ça paraît simple, mais je suis consciente qu'il s'agit là d'un privilège que personne n'a jamais eu au journal. En tout cas, personne de ma génération. Peut-être certains vieux spécialistes des faits divers ou des affaires judiciaires l'ont-ils côtoyé ? Mais les anciens nous ont quittés au moment de la fusion des deux titres en 1997. Une page importante de la ville s'est tournée cette année-là. Defferre s'était emparé du *Petit Provençal* à la Libération, l'arme au poing. En 1971, il a racheté son concurrent, *Le Méridional*. Les deux quotidiens ont survécu dix ans tout juste à la mort du « patron ». Le propriétaire suivant, un groupe multimédia, en les réduisant à un seul, a perdu au passage près de la moitié du lectorat. Mais surtout, cette fusion a annihilé tout ce qui faisait le charme de la presse quotidienne marseillaise : le combat des idées. La bataille entre les deux titres, l'un à droite, clairement réactionnaire, l'autre ouvertement socialiste, faisait la joie des citoyens. Les éditorialistes s'injuriaient copieusement à travers leurs colonnes respectives. La vie politique locale avait alors du relief. La seule règle à respecter était de ne pas porter atteinte à la personne du maire. Pour éviter tout dérapage, Defferre mettait une heure par jour sa casquette de directeur des deux rédactions. Le soir, juste avant le bouclage, il se faisait porter à son domicile les deux unes du lendemain et les pages politiques, n'hésitant pas à modifier un titre, supprimer un mot ou un passage qui lui paraissaient peu compréhensibles pour le lecteur. Il ne serait venu à l'idée de personne de parler de censure. Les rédacteurs en chef restés à l'imprimerie n'avaient plus qu'à recomposer les chapeaux et les articles à la hâte. Le plus délicat était les retouches de photos, car Defferre prenait un malin plaisir à recadrer celles où ses adversaires politiques apparaissaient à ses côtés, lors des inaugurations, par exemple. C'est ainsi que Jean-Claude Gaudin, pendant la campagne de 1983, eut le plus grand mal à exister, ce qui ne l'empêcha pas de gagner dans les urnes, du moins en voix car, à Marseille, Paris et Lyon, la victoire finale dépend du nombre d'arrondissements obtenus. Gaudin dut encore patienter quinze ans avant de s'asseoir dans le fauteuil de « Gaston ». Le plus risible est qu'aujourd'hui encore les politiques croient que ce type d'image a un impact. Même les jeunes se battent pour être dans le cadre ! Il faut les voir jouer des coudes lors des visites ministérielles… Ridicules !

Une cacophonie de klaxons rageurs me ramène à la réalité. Je suis arrêtée au feu, rue de la République. Il est passé au vert. Moi pas.

— Ça va, les ducons, j'avance !

Je ne suis pas d'humeur. Coup de pied sur le sélecteur. Ils vont devoir me supporter sur quatre cents mètres. Pas un ne pourra me dépasser dans cette file unique coincée entre le trottoir et le tramway, et je les emmerde. Aucune envie de me concentrer sur la conduite. Je resterai en première, à 20 à l'heure…

Qui est Max ? À quoi peut-il bien ressembler ? Il n'y a aucune trace de lui au journal. Au moment de la fusion, les journalistes les plus anciens ont fait jouer la clause de cession et sont partis avec des indemnités. De quoi couler une retraite heureuse. Car dans notre profession, cette clause est un *golden parachute*. Quand un média est racheté, nous pouvons, au nom de l'« éthique » et de la « liberté de pensée », décider de nous en aller. La règle, c'est un mois et demi de salaire net par année d'ancienneté. Une prime de départ limitée à quinze ans… théoriquement car, dans les faits, cette limite est rarement appliquée. Aux yeux de certains, c'est un privilège qui vient s'ajouter à de nombreux autres. Dernier exemple en date, notre corporation est parvenue à préserver sa niche fiscale, ce qui en dit long sur la taille de son bras… Or donc, les « mémoires » du journal ne sont plus là depuis longtemps et se sont bien gardées de nous laisser leurs contacts privilégiés. Personne n'a de relation avec Max. Au téléphone, il a une voix jeune. Ce doit être le fils ou le petit-fils de l'indic apparu dans les années 1950. Je vais être fixée rapidement. Je suis arrivée aux docks…

*

Je viens souvent ici. Les docks de la Joliette – il y en a bien d'autres à Marseille, mais moins connus – sont devenus le poumon économique de la ville. De nombreuses sociétés y ont leur siège et les trois collectivités locales n'ont pu s'empêcher d'y installer des bureaux de prestige. On y vient aussi pour les restos et même pour un club de fitness considéré comme l'un des plus branchés de ce nouveau quartier baptisé Euroméditerranée. Un nom sorti de l'imagination d'un énarque en vue de capter des subventions à Bruxelles. Les Marseillais ne l'ont pas adopté et disent toujours « la Joliette ». Et les taxis font exprès de ne pas comprendre lorsqu'un Parisien emploie la dénomination officielle. C'est en tout cas le dernier quartier de la ville où déambulent, l'air affairé, autant de costards-cravate et de tailleurs stricts. La City *made in* Marseille ! Signe particulier : tout le monde porte des lunettes noires, quelle que soit la saison.

Sixième étage : un vaste palier qui distribue l'accès à une dizaine d'entreprises. Je suis déjà montée jusqu'ici : les locaux de la médecine du travail y sont situés. L'espace de quelques secondes, je cherche une porte blindée. « Il y en a une seule, m'a-t-il précisé au téléphone. Au fond à gauche, derrière les ascenseurs. » Au-dessus, une caméra bien visible, mais pas de serrure. Le système d'ouverture est à code, doublé sans doute d'une reconnaissance digitale, comme le suggère un étrange boîtier plat. Pas de sonnette. Une plaque discrète en plexiglas indique le nom de la société. Le sigle fait penser au logo de *Libération.* Au milieu du losange sur fond rouge, l'intitulé : « Objectif Presse ». Je n'ai pas le temps de frapper, « Sésame » s'ouvre !

Excitée, je pénètre dans un espace assez grand, très lumineux. Une large baie vitrée donne sur la cour du premier atrium, en contrebas, autour de bassins. Murs et moquette couleur taupe. Canapé dans les mêmes tons.

Une table basse, mais aucune revue à feuilleter pour passer le temps. Pas de doute, je suis dans un sas de sécurité aux allures de salle d'attente. Patienter n'est pas mon fort ces dernières heures, je me dirige directement vers une seconde porte, blindée elle aussi. Elle s'ouvre à mon approche. Se referme avec un léger chuintement dès que j'en ai franchi le seuil.

Je viens de changer d'univers. L'endroit est impressionnant. Cinq mètres de large, vingt de long. Une dizaine de fenêtres ovales donnent sur la mer. Je le situe parfaitement. Vu de la rue, il est logé derrière la série d'œils-de-bœuf enchâssés dans la toiture en ardoise. Il y a une petite maison en brique au-dessus, prolongée par une rambarde qui doit servir de garde-fou à une vaste terrasse. Je vais enfin savoir si elle est utilisée. Dans la pièce où je me trouve, l'architecte a choisi de revenir à l'essence même du bâtiment industriel. Constitué de plusieurs voûtes, le plafond est en brique. Je marche sur des tomettes anciennes. Le contraste avec le mur de droite, donnant sur la cour intérieure, est saisissant. Les fenêtres sont obstruées par d'immenses armoires transparentes réfrigérées. À l'intérieur, ce qui semble être des disques durs avec des milliers de connexions à d'imposants boîtiers. Une multitude de leds de toutes les couleurs clignotent. Des chiffres numériques défilent. Je suis cernée d'écrans plats posés sur plusieurs tables en verre réparties sans plan précis dans la pièce.

Au centre, un colimaçon en fonte doit permettre d'accéder à la petite maison sur le toit. Les marches tremblent. Un homme est en train de le descendre sans se presser. Des jambes, un buste, et enfin sa tête apparaît. Il est bien plus jeune que je ne l'imaginais. La quarantaine, cheveux châtain clair, des yeux bleu délavé, barbe de trois jours, peau claire. Il porte un costume sur mesure bleu marine. Pas de chemise, un T-shirt cintré à col en V, exactement dans le même ton. Simple mais chic. Bien que j'aie toujours eu un faible pour les bruns ténébreux, je dois reconnaître que j'aime son allure. Sa façon de marcher quand il s'approche de moi. Il est l'anti-Méditerranéen. À un détail près, mais qui tue : il a gardé ses lunettes de soleil plantées dans ses cheveux coiffés en arrière... Rédhibitoire, mais je passe ce signe de mauvais goût par pertes et profits dès qu'il prononce ses premières paroles. Le timbre, le ton de sa voix finissent de m'électriser.

— Iseult de Rostand a été assassinée. Un meurtre parfaitement planifié.

Il n'y a pas eu de préambule. Il ne m'a pas serré la main. Il se comporte comme si on se connaissait depuis toujours, me fait asseoir à côté de lui, à l'une des tables. Il a rapproché galamment un deuxième fauteuil. Une coque Charles Eames rehaussée et montée sur roulettes. Le vrai luxe, mais pas ostentatoire. Il me vouvoie. Triste privilège de l'âge ou signe de bonne éducation ? Tandis qu'il m'explique que les écoutes des échanges entre le procureur de la République, les policiers dépêchés sur place et leur patron ne laissent aucun doute, mon cerveau s'attarde sur de petits détails. Sa montre ressemble à une Rolex, mais sans le tape-à-l'œil du bijou fétiche des bling-bling. Le bracelet, d'ordinaire or, platine ou acier en fonction du client, est noir mat. Le cadran bleu foncé est parcouru par deux aiguilles en or. En tout petit, la griffe Colette. Il n'a pas d'alliance, les ongles courts mais pas soignés, coupés avec les dents, signe de stress. Après les mains, les chaussures, second détail révélateur. Sous la table, ses souliers marron sont des Berluti. Il n'y a que ce chausseur sur mesure qui ose un cœur incrusté dans le cuir à la hauteur de la cheville. Celui-ci est transpercé d'une flèche avec deux initiales que je n'arrive pas à déchiffrer. Normal, je suis presbyte.

— Annabelle ! Vous êtes avec moi ?

Brusque retour à la réalité – et à l'horreur. Pour capter mon attention, Max a haussé le volume d'une radio branchée sur la fréquence de la police. Les dialogues sont crus. D'un côté, TN 13, l'« Autorité », de l'autre, TV 08, la première voiture arrivée sur les lieux, qui transmet les informations des hommes dépêchés sur le terrain. Max baisse le son.

— On ne va pas apprendre grand-chose de plus en écoutant ça. Au cas où, j'enregistre.

Cette cacophonie a au moins le mérite de me ramener à l'essentiel.

— Qu'est-ce qui s'est passé ?

— C'est un assassinat, et qui a fait appel à une logistique impressionnante. Il ne s'agit pas d'un simple sabotage des freins. La voiture a été pilotée à distance.

— C'est possible ?

— Les amateurs de maquettes radiocommandées le font bien ! Un témoin qui suivait l'Espace a expliqué qu'elle avait calé dans le dernier virage du chemin du Roucas. La conductrice s'est escrimée durant près d'une minute pour la redémarrer. Le véhicule s'est soudain remis en marche. Puis il a bondi. Iseult a tenté de tourner le volant, s'est dressée comme si elle cherchait à écraser à fond la pédale de freins… En vain. C'est ce détail important qui me manquait. La suite, je l'ai en visuel, grâce à une des caméras de surveillance du trafic sur la Corniche.

Max glisse son doigt sur l'écran digital qui nous fait face et l'image apparaît. Je ne suis pas sûre d'avoir envie de voir ce qui va suivre. La scène dure quelques secondes.

La voiture traverse la chaussée. Elle est à peine freinée par le trottoir et le banc en béton. Puis bascule par-dessus le parapet.

— C'était une automatique. L'ordinateur a calculé la vitesse : 87 km/h. Le maximum possible sur la distance parcourue, départ arrêté.

Sans rien me demander, Max renvoie la séquence, cette fois au ralenti. La scène est insoutenable. La panique règne dans l'habitacle. Iseult est manifestement arc-boutée sur les freins, ses mains sont crispées sur le volant. Elle hurle. Son fils aussi. Au moment où la voiture va toucher le parapet, elle se retourne vers lui. Arrêt sur image. La résolution est parfaite. L'effroi mêlé au désespoir se lit dans ses yeux. Elle crie ! Max poursuit comme si de rien n'était :

— Elle n'avait aucune chance de s'en sortir. Les airbags se sont déclenchés au moment de l'impact avec le muret, l'empêchant de se dégager quand l'eau a envahi l'habitacle, très rapidement puisque sa vitre était ouverte.

Pendant qu'il énonce les faits, mon cerveau visualise la scène. Les yeux fermés, je vois Iseult bloquée pendant que l'eau s'engouffre. L'air commence à lui manquer. Elle se débat, tente de se dégager du ballon en plastique. Aspire une première gorgée d'eau. Suffoque. Cherche une autre goulée d'air. La mer emplit un peu plus ses poumons. Elle s'étouffe. Se sent partir... Une mort dégueulasse ! Son fils connaît la même fin atroce.

J'ouvre les yeux. Sur l'écran, toujours la même image fixe. Iseult hurlant sa détresse.

— Réflexion faite, les flics vont mettre du temps à se faire une opinion. Il faut remonter la voiture, puis la passer au crible, ça va prendre au minimum soixante-douze heures.

Je n'ai qu'une envie : lui demander de la fermer ! Il est toujours dans son raisonnement froid et méthodique. Ce qui n'est pas mon cas. Je ne connaissais pas Iseult. Je n'ai passé qu'une heure avec elle ce matin. Elle m'a rapidement exaspérée. Pourtant, des larmes coulent le long de mes joues. Son fils, quelle horreur ! Ceux qui ont fait ça sont des monstres ! Car si, comme l'assure Max, les tueurs pilotaient la voiture à distance, ils savaient pertinemment que le gamin était à l'intérieur... Une main s'empare de la mienne. Max me regarde.

— Pourquoi ! Max, pourquoi ?

— Je n'ai pas encore de réponse. On va chercher. Mes ordinateurs sont en train de craquer les codes de ceux d'Iseult qui sont allumés et en ligne, ainsi que celui de son iPhone. On va tout savoir de sa vie, pour peu qu'elle en ait eu une gestion moderne, ce qui, vu son profil, devrait être le cas. Ça peut prendre une heure. Laissons les machines bosser. En attendant, on va aller manger un morceau sur la terrasse.

Passage obligé par la maison en brique sur le toit. La petite pièce est une chambre entièrement occupée par un lit ! Un meuble imposant au cadre en bois clair, tête et tables de nuit incorporées dans la masse. Grâce à *Elle Déco*, je vais pouvoir étaler ma culture. C'est puéril, mais je ne peux pas m'en empêcher :

— C'est une pièce plutôt rare. Un Starck ?

— C'est pour me reposer.

Il aurait pu relever mes connaissances en design. Au lieu de ça, il éprouve le besoin de se justifier. Ce doit être son lupanar. Un Pierre *bis* ? Sa garçonnière est sobre, limite stoïcienne. Elle me fait penser à une cellule de monastère, avec ce lit de deux mètres sur deux en guise de paillasse. Une petite porte vitrée permet d'accéder à la terrasse. Max doit s'incliner légèrement pour la franchir, ce qui n'est pas mon cas. La vue depuis le toit est telle que je l'imaginais. À un détail près : la taille des ferries pour la Corse. Je suis déjà montée à bord pour des traversées. Je les vois souvent quitter le port et passer derrière le château d'If. Mais là, amarrés juste devant, ils sont impressionnants. Nous sommes à hauteur d'un septième étage et leurs ponts supérieurs nous dominent encore.

Une nouvelle association d'idées me ramène à Iseult. Son mari, les quatre orphelins... J'imagine Rostand – impossible de me souvenir de son prénom – parcourant hagard les couloirs impersonnels du siège de sa compagnie. Il doit être au courant pour sa femme et son fils.

— Annabelle, je vais te préparer quelque chose. Tu as l'air épuisé.

Max me fait asseoir sur une chaise en fer forgé. L'atmosphère rappelle les toits des riyads de Marrakech. Une table en zellige, des bosquets de bougainvilliers, de lavande et même deux palmiers. Dans un angle, un jacuzzi de belle dimension.

— Tu dois te demander qui je suis, d'où je viens, dans quel état j'erre...

Ce calembour archi-usé me fait sourire. Preuve que je vais très mal.

— Tu dois te demander pourquoi « Max les écoutes », comme vous m'appelez, t'a fait venir ? Pourquoi il te fait l'honneur de te dévoiler son repaire et sa personne ?

— Stooop ! Arrête le mode interrogatif, s'il te plaît ! Si tu es passé par les jèzes, c'est sûrement une seconde nature, mais c'est pénible. Viens-en aux faits. Et quitte à être prétentieux, utilise le « nous » de majesté, au lieu de parler de toi à la troisième personne !

Ma réplique est sortie toute seule. Tutoiement automatique, en réplique au sien! Je sais que ma voix a changé de tonalité, elle a baissé d'un octave. Vingt ans d'interviews pluriquotidiennes créent certains automatismes. Notre amorce de conversation va déraper… C'est sûr!

— Je n'ai pas fait mes études chez les jésuites à Franklin mais trois cents mètres plus bas, dans la même rue, à Saint-Jean-de-Passy… Et c'était des maristes.

— Ça alors! Moi, je suis passée par La Tour! C'est pour ça que je connais cette technique de conversation, chère aux curés et aux bonnes sœurs.

— Je sais.

Comment ça, il sait? On était en train de repartir sur de bonnes bases. On avait un lien: notre scolarité dans le même quartier parisien. Peut-être même des souvenirs communs, malgré les quatre ou cinq années qui nous séparent.

— Tu sais quoi? T'as une fiche sur moi? Tu es de la « piscine »? Un boy de Squarcini? Je l'ai bien connu quand il était préfet de police ici, avant qu'il ne devienne le patron du contre-espionnage français. On s'appréciait. J'ai encore son portable. Pas sûr qu'il soit ravi d'apprendre qu'un de ses agents se la pète.

— OK! OK! On efface tout! On repart de zéro.

Contrairement à moi, lui ne s'est pas assis. Il se dirige vers un coffre en teck, soulève le couvercle. C'est un minibar d'où il extrait une bouteille de rosé frais. Encore un mauvais point: je déteste le rosé et puisque môssieur est si bien renseigné, il devrait le savoir. Il sort également un panier garni de carottes, céleris, choux-fleurs et autres légumes caractéristiques de l'anchoïade. Nouvelle claque en perspective pour lui: j'ai horreur de cette sauce. Ouf! Le pot de verre qu'il me tend contient de la tapenade d'olives vertes. Durant tout ce temps, Max n'a pas cessé de parler. Il se raconte ou, plus exactement, me fait un exposé sur « la vie des Max ».

— Ça remonte à la Libération. À l'époque, les compagnons les plus proches du Général fondent une organisation secrète destinée à sauvegarder la démocratie. En la protégeant au besoin contre elle-même. Ils viennent de subir le régime de Vichy, un gouvernement parfaitement légal sur le plan constitutionnel, mais qui a commis toutes les dérives que l'on sait. D'où leur idée de mettre en place des vigies capables d'alerter l'opinion. La guerre froide, avec ses tentatives de déstabilisation permanente et la lente débâcle du colonialisme, les a renforcés dans leur conviction…

Je l'écoute d'une oreille distraite en grignotant des radis.

— Dans les périodes difficiles, les Français ont une fâcheuse tendance à s'en remettre à un homme providentiel : Bonaparte, Pétain, de Gaulle ou Sarkozy. Avec les affaires, le monde de l'argent, le risque permanent, dans un État fort, est de voir disparaître les mécanismes de contre-pouvoir. Aujourd'hui, nous sommes une centaine sur tout le territoire. Notre mission…

Je me retiens de lui balancer : « Si vous l'acceptez… » Ne manque plus que le magnéto qui va s'autodétruire !

— … est d'être à l'écoute et d'organiser des fuites dans les médias dès qu'apparaît une volonté de dissimulation. Très peu de gens sont informés de notre existence.

Là, d'un coup, je percute ! On est dans le réel. Et c'est vrai que je n'ai jamais entendu parler de cette entité…

— Mais vous fonctionnez comment ?

— Nous sommes totalement indépendants, juste chapeautés par le grand chancelier de l'ordre de la Légion d'honneur. Nous sommes cooptés et recrutés par une cellule spécifique. On s'engage pour dix ans avec une règle de silence absolue. Aucun rab supplémentaire n'est possible. Les équipements que tu as sous les yeux nous permettent de savoir pratiquement tout sur tout le monde.

— Sur moi, par exemple?

— Entre autres. Les journalistes, les syndicalistes, les politiques, les patrons des grandes entreprises, les francs-maçons, les fonctionnaires, l'Opus Dei, les imams… que sais- je encore. Ils sont répertoriés et on les a à l'œil.

— Vous n'êtes ni plus ni moins que des sous-RG…

Pas besoin d'être fine psychologue pour comprendre que je viens de toucher un point sensible. Sa mâchoire s'est contractée :

— Sauf que les RG dépendent du ministère de l'Intérieur et donc du gouvernement. Pas nous!

— Ah ouais? Et si c'est si secret, pourquoi est-ce que tu me racontes tout ça à moi?

— Trois raisons. Primo, mon temps est terminé. À la fin de la semaine je disparais, ces locaux et tout ce qu'ils contiennent avec. Je ne connais ni mon successeur ni l'endroit d'où il officiera. Deuxio, quarante-huit heures plus tard, je serai un de tes confrères. J'investis ma prime de fin de contrat dans un site Internet dont je deviens un des actionnaires journalistes. Tertio, je connais ton travail, tes valeurs…

— Et ma vie?

— Un peu, oui…

— Tu as fouillé dedans? Comme tu es en train de le faire pour Iseult? Tu es entré dans mon iPhone, mon ordinateur?

Je me suis levée. À la différence de tout à l'heure, ma voix grimpe dans les aigus. L'autoanalyse est facile, je suis en passe de perdre mon sang-froid. J'ai envie de le baffer. Mais pour qui se prend-il? Qu'est-ce que c'est que cette démocratie vertueuse qui s'offre une officine secrète? Cette société orwellienne? J'hallucine! Je vais filer au journal, revenir avec un photographe pour étayer mon article et je vais te dénoncer tout ça! Non, plus rapide, je vais commencer par faire une ou deux photos, au cas où, avec mon téléphone portable... Ce sera moins bon, mais j'aurai des preuves pour convaincre Rulat que j'ai un scoop qui va faire trembler cette république de merde sur ses bases. Il faudra aussi que...

— Arrête, Annabelle! Ne pars pas sur une idée de complot!

En plus, ce con lit dans mes pensées!

— Notre rôle est d'alerter, point final! Nous transmettons des informations brutes via la presse et maintenant le web. Et le meilleur moyen d'être crédible et d'avoir des contacts dans les médias, c'est de donner systématiquement les faits divers, accidents, braquages, meurtres, incendies... C'est pour ça que j'ai aussi une fiche de paie de ton journal, comme collaborateur rémunéré à l'info. Pour le reste – enquêtes, pots-de-vin, manipulations –, il ne nous appartient pas de juger de l'opportunité. Dès que nous savons, nous diffusons. Je note d'ailleurs que notre concept a été repris. Que fait l'Australien Julian Assange sur son site WikiLeaks, quand il met en ligne soixante-dix-sept mille documents sur la guerre en Afghanistan classés « secret défense » et deux cent cinquante mille télégrammes diplomatiques US confidentiels, sinon libérer la presse, révéler les abus et sauvegarder des preuves pour écrire l'histoire, comme il le dit lui-même? Or celui qui est devenu la bête noire de la CIA est considéré par votre corporation comme le « héraut d'un journalisme numérique militant et sans concession ». Et c'est dans ce type d'investigations que je compte me spécialiser désormais.

— Ah oui ? Et là, par exemple, la vigie, elle est intervenue à quel moment ? Quand Pierre s'est fait tuer ? Quand Paoli m'a interrogée ? Quand Iseult…

Max hausse le ton à son tour :

— Tu commences à me fatiguer ! Jusqu'à présent, il n'y avait rien d'ambigu dans le déroulement de l'enquête. Paoli fait bien son boulot. Il a juste embrouillé la presse sur l'arme. Ce n'est pas un P38 mais un P25, un Beretta Bobcat. Un pistolet bien plus rare et plus petit. Une arme de tarlouze pour tout truand qui se respecte. Mais c'est consigné dans son rapport. Tout comme, d'ailleurs, l'appartement privé de ton… ami.

Il a marqué une pause, pour bien souligner qu'il sait.

— Paoli pense que tu lui caches quelque chose. Que tu mènes ta propre enquête. Il n'a pas retrouvé l'ordinateur de Saint-Gilles. Son téléphone non plus, au passage ! Il est persuadé que les raisons de son assassinat s'y trouvent. Seulement, il vient de se mettre *border line* : il a joué au plombier sans en référer au juge chargé de l'enquête. Le studio de Pierre a été placé sur écoute et sous surveillance vidéo.

— Putain ! Je…

— Et j'ai branché une dérivation avec image fixe. Ils ne t'ont pas vue. Pas entendue. Pour la police, il n'y a pas eu de visiteurs depuis ton interrogatoire, dont Paoli a d'ailleurs gardé un enregistrement, ce qui est également limite…

— Et toi ? Tu m'as vue, quand j'y suis retournée ?

Je suis en vrac… Je ne sais plus à quel moment je me suis caressée devant l'ordi. Si c'était avant ou après la venue des flics. Ils ont dû poser leurs mouchards lundi matin pendant la perquisition. Où ont-ils pu mettre la caméra ? J'suis pas bien, là…

— Je sais que tu as l'ordinateur de Saint-Gilles. J'ai écouté ton interview d'Iseult quand tu l'as transférée sur ton PC. Tu as une piste, Annabelle. Tu mènes ton enquête seule, sans en référer à ton réd'chef parce que tu cherches un scoop. Tu joues un jeu dangereux. C'est pour ça que je t'ai fait venir. Alors, on passe un accord : on bosse à deux et on sort l'affaire en même temps. Nos médias ne sont pas en concurrence. Si tu es partante, tu me fais un résumé et on descend chercher des compléments de réponses dans le matériel informatique d'Iseult. Et à partir de maintenant, tu laisses tomber Max. Mon nom est…

Bond, James Bond ? Ou plutôt Modeste ? Bonjour le pacte ! Il sera tout juste titulaire d'une carte de stagiaire journaliste et, dès ses premières vingt-quatre heures dans la profession, il ambitionne de concourir pour le Pulitzer ! D'un autre côté, sans son matos, j'en ai pour des mois…

10
Des mails

Un meurtre à Marseille, peu après midi. Idriss Belkacem, membre du comité local des pêches, a été abattu de deux balles dans la tête par le passager d'une moto alors qu'il s'apprêtait à entrer dans un restaurant du Vieux-Port. L'exécution a eu lieu sous les yeux de nombreux touristes. Les tueurs ont pris la fuite sans être inquiétés. À Marseille toujours, l'accident qui a coûté la vie à une femme et son fils sur la Corniche en fin de matinée pourrait être lié à une panne de l'ordinateur de bord du véhicule. Le constructeur a indiqué qu'une enquête était en cours.

Retour dans la salle des machines. En fin de compte, je ne lui ai pas résumé grand-chose. Ce sera donnant-donnant. Je me suis contentée d'évoquer les soupçons de Pierre et les quelques notes griffonnées, trouvées dans le bouquin, qui m'ont amenée à contacter Iseult Romanet d'Astruc, feu Mme de Rostand. En revanche, je me suis bien gardée de mentionner l'existence des vidéos mettant en scène Catherine de Vouvray.

De son côté, Max s'est présenté. Enfin, c'est beaucoup dire, il m'a glissé un prénom et un nom à la va-vite en descendant l'escalier. Lui aussi porte une particule: de Guiche. À croire que la noblesse française a décidé d'immigrer ici pour bosser. Un comble, dans la ville qui a porté au sommet un chant révolutionnaire et dont les familles régnantes sont issues de la bourgeoisie commerçante. Arnaud de Guiche, ainsi que je dois l'appeler désormais – penser à demander à Paoli si ça lui dit quelque chose –, nous a installés derrière la table quittée il y a une demi-heure. La dernière image d'Iseult vivante a disparu. Sur les écrans, une succession de lettres et de chiffres. Je n'y comprends rien. Arnaud clique, deux vignettes apparaissent en haut et à droite du moniteur. Ce sont des vues de la garçonnière. Sur la première, la pièce rouge dans son intégralité. Sur la seconde, le bureau en gros plan.

— Ce sont les vues que la police capte en ce moment.

— Et?

— Et la réalité, c'est ça!

Deux autres cadres s'ouvrent et se positionnent sous les premiers. Le plan large est pratiquement le même. En regardant de plus près, je me rends compte que le fauteuil, devant le bureau, n'est pas exactement au même endroit. Je n'ai pas pris la peine de le remettre à sa place quand je me suis levée pour sortir. Au jeu des sept erreurs, l'examen de la seconde vue me glace le sang. Sur le bureau, mon portable, celui de Pierre et même mon magnéto. Une descente de Paoli et je suis bonne pour une explication houleuse. Il n'est pas du genre à apprécier ce qui, aux yeux de la justice, s'assimile à de la dissimulation de preuves. Le lien de confiance qui existe entre nous sera à jamais rompu. Pas terrible non plus vis-à-vis de Max… enfin, Arnaud, va falloir que je m'y fasse. Il va vouloir passer l'ordinateur de Pierre au crible. Il peut y avoir des choses sur moi dedans. Au lieu de mater les vidéos, j'aurais dû commencer par vérifier ce qui est loin d'être un détail. Quelle conne ! Encore que… supprimer des dossiers ne suffit pas. Des éléments placés dans la corbeille, même celle-ci vidée, laissent toujours une trace dans le disque dur. Les spécialistes peuvent sans grande difficulté les retrouver et les décrypter. Or Arnaud m'a l'air d'être un virtuose en la matière.

— Puisque manifestement tu as une longueur d'avance, donne-moi des noms, que je fasse déjà un premier tri dans les communications reçues et envoyées par Iseult.

D'un clic, il fait disparaître de l'écran le studio de Pierre, images vraies et miroirs. Retour des lignes de lettres et de chiffres. Certaines en noir, d'autres en bleu ou orange.

— J'ai mis de la couleur pour toi. C'est plus simple à visualiser. En noir, ce sont les coups de fil. En orange, les SMS et en bleu, les mails. On pourra affiner ensuite avec les entrants et les sortants…

Pour couper court à son explication avant qu'elle ne devienne trop technique, je sors de la poche de mon jean la liste manuscrite de Pierre et la lui tends. Arnaud pose la feuille sur ce que j'imagine être un scan. Elle apparaît à l'écran. Comme dans un film d'animation, les noms se détachent tout seuls et se rangent par ordre alphabétique. Puis, les suites de nombres, lettres et slashs s'affolent en tous sens. Beaucoup disparaissent. Celles qui restent viennent se positionner sous les patronymes.

— Iseult communiquait avec presque tous les noms de ta liste, soit par téléphone, soit par SMS ou mail. Avec Saint-Gilles, que j'ai rajouté… aussi. Je les prends tous, y compris ceux qu'elle a cru faire disparaître en les effaçant.

— Et moi? Pourquoi j'apparais?

— C'est juste pour te prouver l'efficacité du système. Tu l'as appelée plusieurs fois lundi, le dernier coup de fil à 20 h 15, elle était en centre-ville. Dans la foulée, elle est allée sur Internet chercher des infos sur toi avec son iPhone. Elle est passée par Google qui l'a orientée vers le site de ton journal. Pour le coup de fil, j'ai la trace de ton appel, mais pas d'enregistrement puisque je ne branche jamais d'écoute.

La réponse du berger à la bergère. J'ai procédé de la même façon pour la trouver via Facebook. Tout Romanet d'Astruc qu'elle fût, je ne suis pas sûre qu'elle était suffisamment connue pour être référencée ailleurs que sur des réseaux sociaux…

— Si je te comprends bien, on peut savoir qui elle a appelé ou qui l'a appelée. Mais on n'aura pas la teneur des conversations.

— Oui, c'est ça. En revanche, pour tout ce qui est texte, vidéo ou photo, aucun problème. Sauf qu'il va falloir cibler ce qu'on cherche, parce qu'entre ses ordinateurs et son téléphone portable, on va se retrouver avec des milliers d'informations. Il nous faudrait des jours pour tout éplucher. Si on veut que les logiciels de recherche nous aident, il faut entrer des mots clés supplémentaires. Ce que je viens de faire avec ton nom. On commence par ses échanges avec qui?

— Juste un détail : elle a téléphoné à quelqu'un après mon départ?

Arnaud pianote sur son clavier. La réponse est quasi immédiate. Deux lignes noires viennent se positionner sous « Spignoli », le monsieur sécurité du port.

— Tiens, elle l'a appelé juste après ton coup de fil et rebelote après ta visite… Ça t'inspire quelque chose?

Ça m'inspire surtout que mon téléphone n'a pas sonné depuis longtemps. Coup d'œil à ma montre… Déjà 15 heures. Moi qui lorgne d'habitude la pendule au minimum dix fois par heure, c'est comme si le temps s'était arrêté ces deux derniers jours… La preuve, même mon portable est silencieux depuis que je suis arrivée dans les docks… Je fouille mon sac à la recherche du mobile : comme de juste, il n'est pas rangé dans la petite poche destinée à cet effet. Coup de stress, énervement, Arnaud l'a bien senti et se tait. Je lui en suis infiniment reconnaissante. Je ne supporte plus les propos machistes qui fusent en rédac à longueur de journée, notamment sur « le foutoir dans les sacs de bonnes femmes ».

Merde, mon iPhone s'est éteint. J'ai oublié de couper la radio en arrivant, ça a bouffé la batterie. Encore un signe que je pars en vrille !

— Dis donc, dans tout ton matos, tu n'aurais pas un chargeur pour mon téléphone?

Arnaud me tend un câble USB qu'il raccorde à l'un des ordinateurs. De longues secondes passent, pendant lesquelles je reste les yeux rivés sur le petit écran désespérément noir… Enfin il se rallume et plusieurs bips me rappellent aussitôt à l'ordre : cinq appels en absence et trois messages… re-merde ! La rédac, Rulat deux fois, et Paoli. Ils s'inquiètent de ce que je vais mettre dans mon papier de demain, mais pour des raisons différentes. Est-ce que je le sais seulement? Je leur téléphonerai plus tard, j'ai mieux à faire.

— Tu n'en profites pas pour charger le contenu de mon iPhone?

Haussement d'épaules, Arnaud lève les yeux au ciel, ne dit toujours rien mais me montre sur son écran le résultat du travail sur les mails d'Iseult. Heureusement qu'il m'a mise en garde contre le fait de mener une enquête perso! On est en train de faire exactement ce qu'il me reprochait il y a un quart d'heure. Mais je reconnais que ce qui se passe en direct sous mes yeux est fascinant. D'autant qu'il y a plein de lignes de couleur sous Saint-Gilles. Presque autant que sous Catherine de Vouvray. Sous Spignoli, très peu, et elles sont noires : que des appels, si j'ai bien compris. La palme des communications, toutes tendances confondues, revient à Mathieu de Rostand, son mari : des centaines.

— On se met sur Saint-Gilles. Comme ça, on autopsie les relations entre les deux victimes.

Sitôt lâché, mon jeu de mots minable me désole. Ça veut dire quoi, ce pseudo-détachement? Ce besoin de surjouer le côté pro? Si c'est pour leurrer ton voisin, ce n'est pas très fin. Pas besoin d'être grand clerc pour savoir qu'il s'agit de pure curiosité féminine. Enfermé dans sa bulle, Arnaud ne fait aucun commentaire et lance immédiatement la recherche.

— Tu peux m'ouvrir un écran, que je puisse travailler de mon côté? Comme ça, on analyse avec deux regards différents…

Je ne suis pas sûre qu'il soit dupe, mais je préfère découvrir leur relation en solo. Pas de lignes orange, donc pas d'échanges de SMS entre eux. Pas étonnant, Pierre refusait de se servir de ce mode de communication, estimant qu'un téléphone sert à se parler. Il se moquait des gens qui tapotent des romans à longueur de journée, avec un doigt, sur un clavier minuscule! Donc, pas de SMS, mais une avalanche de mails. Je les ouvre les uns après les autres. Ça ressemble à tout sauf à des échanges professionnels. Le « tu » est de rigueur. Je les déteste ! Il cherche à la convaincre de participer au projet culturel qu'il est en train de monter pour 2013. À aucun moment il ne l'évoque avec elle, mais je sais que Pierre avait un certain crédit dans ce domaine, ayant lancé un bimestriel branché sur les artistes contemporains.

État d'Art n'avait tenu que dix numéros, mais avait eu le mérite de lui ouvrir un milieu qui le fascinait. Il avait perdu tous ses partenaires et annonceurs quand il s'était mis en tête de démonter le système des cotes. J'avais alors vécu sa déroute en direct… Pour parvenir à cet objectif, il avait racheté avec trois amis le fonds d'atelier d'un jeune en « devenir », mort d'une overdose. Le peintre maudit dans toute sa splendeur. Puis, avec la connivence de plusieurs commissaires-priseurs, il avait mis certaines pièces aux enchères. Quelques relations dans la salle et au téléphone et les prix grimpaient. En fin de compte, Pierre s'achetait lui-même le tableau. Investissement quasi nul car, les commissaires-priseurs lui faisant cadeau de leur commission, il n'avait à débourser que les taxes d'État, qu'il récupérait via une société. Il ne s'agissait donc que d'une avance de trésorerie. En revanche, la vente était actée. Le peintre avait désormais une cote officielle. Il suffisait de multiplier le procédé pour la faire monter. Ajoutez à cela un ou deux articles de complaisance sur l'artiste et le tour était joué. Moins de deux ans plus tard, la valeur du fonds, une trentaine de tableaux achetés 7 000 euros, était théoriquement multipliée par cent.

Un jour, à la suite d'une succession d'enchères effrénées, un particulier avait emporté une œuvre pour 25 000 euros. Un grand format, mais tout de même ! Pierre avait consacré le numéro suivant d'*État d'Art* à dévoiler la supercherie. La débâcle financière suivit sans tarder. Il avait perdu ses associés, furieux, car les tableaux, propriété du fonds, ne valaient plus rien. Les commissaires-priseurs « amis » avaient eu droit à une enquête interne. Il planait désormais un sérieux doute sur les expertises et estimations des galeristes et marchands de tableaux. Comme d'habitude, Pierre s'était fait plaisir, mais ça lui avait coûté très cher. Il avait dû mettre un terme à la parution du magazine et licencier cinq personnes. De cette aventure, il avait quand même conservé quelques amitiés, notamment au sein d'institutions comme le Frac et dans les milieux non corrompus de la culture.

À en croire ses échanges de mails avec Iseult, sa dernière idée était une nouvelle dénonciation de tartufferie. Sa cible : l'art conceptuel. Il avait obtenu de la cellule en charge de « Marseille 2013, capitale européenne de la culture » l'organisation et le financement d'une expo photo : treize (pour le numéro du département) portraits de femmes en noir et blanc de deux mètres sur deux. Ils seraient placés à l'aéroport, à la gare Saint-Charles et à la gare maritime pour accueillir les dix millions de visiteurs espérés. Sous chaque visage, le mot « Welcome ». Dans le mémo explicatif de plusieurs dizaines de pages, qui avait emporté l'adhésion du jury, il rapprochait cette démarche de celle des Grecs – liens subtils avec la création de Phocée – lorsque des étrangers arrivaient dans leurs cités. Comme il y a deux mille six cents ans, les femmes mises en avant étaient des notables de la ville. Ce serait beau et chic. Du moins en apparence. Car la réalité était quelque peu différente. Il y avait une deuxième lecture. Une version underground. Les treize femmes seraient photographiées en gros plan, à l'instant où elles atteignaient l'orgasme ! Pour répondre à ceux qui n'y verraient que vulgarité ou coup de com obscène, Pierre avait déjà rédigé un second mémo expliquant cette fois que, dans l'Antiquité, la tradition voulait que les édiles offrent leurs femmes aux visiteurs importants, en guise de bienvenue. Marseille, avec cette exposition, ne faisait rien d'autre qu'offrir treize patriciennes aux regards concupiscents. Cerise sur le gâteau, il jouait sur la phonétique de « *well come* » qui, en anglais, signifie à peu près : « bien joui » ! Il n'avait pu s'empêcher d'ajouter tout un laïus sur l'onanisme, le rapport à la sexualité, la transgression liée à l'âge, la position sociale, l'image, etc., avec des préfaces signées de personnalités, écrivains, psys et sociologues. Le pavé intello dans toute sa splendeur. La démarche « underground » ne serait dévoilée que six mois après le début de l'expo par *Les Inrocks*, magazine appartenant à une de ses relations.

— Pas mal comme idée, j'aurais bien aimé voir ce que ça pouvait donner.

Le mâle poindrait-il enfin en Arnaud ? Si ça se trouve, la lecture de ces échanges, où Pierre fait tout pour convaincre Iseult de poser, l'émoustille ! Pour une fois, en tout cas, il prend son temps et ne lit pas en diagonale. La preuve, nous découvrons leur conversation à la même vitesse.

— Putain, elle lui a donné son accord !

Du calme, Guiche, ton vernis est en train de craquer.

— Merde, elle l'a fait !

Une nouvelle fois, j'ai un temps d'avance sur lui, mais je me garde bien de le lui dire. La photo d'Iseult dans l'ordi de Pierre me revient à l'esprit. Voilà la raison de son regard étrange… Le portrait en lui-même n'a rien de choquant. C'est l'acte qu'il sous-entend qui interpelle. Y compris la femme que je suis. J'irai revoir cette image de la très sage

Iseult, si parfaite mère de famille. Et moi. S'il me l'avait demandé, si on lui en avait laissé le temps, l'aurais-je fait? Je jurerais que je figurais sur sa liste des treize. Ne me reste qu'à trouver qui étaient les onze autres. La réponse se trouve certainement dans son ordinateur… Sans me demander mon avis, Arnaud a repris la main sur nos deux écrans et s'est remis à pianoter fébrilement sur le clavier, avec pour effet immédiat de faire disparaître les mails.

— Tu fais quoi, là? On n'a pas fini de lire leurs échanges, que je sache!

— Ben, je cherche la photo… Elle en a des centaines stockées dans ses disques durs, mais comme j'ai la date du mail où elle lui annonce avoir posé, je peux la retrouver.

— Excuse-moi de te le rappeler, mais tu parles d'une morte, là!

Arnaud s'est arrêté net. Le texte réapparaît. Un silence pesant s'instaure. Les échanges affichés devant nos yeux rajoutent au malaise car, au fil des mails, Pierre cherche à se faire raconter dans le détail la séance de pause chez la photographe. Elle ne cède pas et évoque par bribes leur gêne respective, les verres de rosé qu'elles se sont enfilés avant d'officier. Le modèle assis sur un tabouret avait beau, par pudeur, avoir le bas du corps dissimulé par un drap blanc tendu sur une table, ça n'a pas été simple. Pierre raille la gêne de la photographe, au motif qu'elle est du même sexe. Il s'inquiète pour la suite, puisque c'est elle qui porte officiellement l'exposition et est censée en avoir eu l'idée. Je la connais de nom. Elle est réputée pour la qualité des portraits qu'elle réalise.

Après cet épisode qui remonte à trois mois, les mails entre Pierre et Iseult se font plus rares. Les conversations téléphoniques ont pris le relais. Les lignes noires, toutefois, sont peu nombreuses… La dernière date de vendredi. Soit quarante-huit heures avant la mort de Saint-Gilles.

— Bon, finalement, cette correspondance ne nous a pas appris grand-chose.

Parle pour toi ! Moi, je sais maintenant que Pierre n'avait pas changé. Toujours hanté par le « démon de midi ». Cette expression populaire a gagné ses lettres de noblesse en entrant dans le dictionnaire médical, grâce à une étude sur le comportement masculin autour de la cinquantaine. Pierre en était l'archétype. Il luttait en vain contre le temps. Tentait d'en retarder les effets sur son physique par le sport et sur ses neurones par la boulimie de projets. Le combat était perdu d'avance, il le savait, mais n'acceptait pas de baisser les bras.

— On enchaîne sur les échanges Iseult-Vouvray ? Puisque Pierre avait tracé une flèche entre les deux femmes et que ce sont les mails les plus nombreux…

— Et si on jetait d'abord un œil sur ses comptes bancaires ? Rien de plus simple, elle les activait depuis son ordinateur. Ce qui me facilite la tâche.

Je ne lui réponds pas. Une vraie gêne s'est installée entre nous. Elle est palpable.

— Tu as vu le solde de son compte professionnel ? On commence par lui. Elle a deux clients réguliers dont un qui lui verse des sommes considérables ! 450 000 euros rien que sur les six derniers mois. Le virement est chaque fois d'un montant différent, et pas à date fixe.

L'excitation est revenue. La tension retombée…

— Tu peux trouver la société à qui elle facture à ce tarif ?

L'instinct du chasseur, l'essence même des métiers d'avocat, juge, flic et journaliste. Professions que, pour cette raison, les sociologues rangent souvent dans la même case. Ils pourront bientôt ajouter celle de « vigie républicaine »...

— Il s'agit d'une filiale de holding basée au Luxembourg, La Palombaggia, qui gère des restaurants, bars et boîtes de nuit. Une trentaine d'établissements répartis entre Paris, Marseille, le Var et la Corse. Ça sent le Milieu à plein nez.

— Et Iseult leur facturait quel type de prestations ?

— En gros, une vitrine de ces divers établissements sur le Net. Un service plutôt haut de gamme pour de simples brasseries. Il y a quand même un Relais & Châteaux et un étoilé au Michelin dans le Lot. Les factures ne sont pas détaillées. Ce client est apparu l'an dernier. Le montant du premier versement en août est impressionnant : 100 000 euros. Pour l'étude préliminaire et la conception générale des sites, vraisemblablement. Ça fait cher la page web ! Certaines semaines, il lui arrive de toucher 30 000 euros, d'autres 8 000, il n'y a pas de règle. Ce n'est donc pas un travail de maintenance ou de suivi.

— Elle a mené une étude pour Saint-Gilles. Son tarif à la journée tourne autour de 1 000 euros.

— Là, on est nettement au-dessus. Et puis, un *one shot* ne se facture pas comme un client régulier. Ce qui est intéressant aussi, c'est qu'elle ne vire sur son compte perso au titre de son salaire que 4 000 euros par mois. Résultat, sa boîte dispose de près d'un million d'euros en cash !

— Et sur les autres comptes ?

— Celui à son nom reçoit les salaires de sa boîte, les diverses prestations familiales et quelques extras en provenance du compte joint. C'est ce dernier qui tourne le plus. Chaque mois, son mari y vire 6 000 euros. Certainement le fonds de roulement du foyer. À première vue, rien que du classique de ce côté-là.

— Du classique avec un beau train de vie, quand même !

— En dehors de son compte société, en tout cas, rien de spécial à première vue. Elle paie tout par carte bleue. Je peux donc te dire qu'elle va deux fois par semaine chez le coiffeur, se rend tous les mardis dans un institut de beauté et déjeune tous les jours au restau, sauf le mercredi…

— *Because* les enfants.

— Le tout aux frais du compte joint ! Si tu veux tout savoir, elle habille ses mômes dans des dépôts-ventes, de marque tout de même, et fait ses courses chez Lidl.

La dernière phrase d'Arnaud m'intrigue. Rien à voir avec l'idée que je m'étais faite d'elle après ma visite. Elle m'a peut-être menée en bateau. Ce ne serait pas la première fois que je me trompe sur quelqu'un. Dans les deux sens, d'ailleurs. Je me fais mon idée sur les gens en moins d'une minute. Mon cerveau enregistre des détails insignifiants pour d'autres. Chez une femme : le sac Vuitton, les lunettes siglées Chanel ou Dior en grosses lettres. Tout ce qui est vulgairement, ostentatoirement mode m'énerve. Par-dessus tout, les marques de luxe qui affichent leur pub sur vos T-shirts ou vos pulls et vous le font payer des fortunes. Sans parler des multiples opérations de chirurgie visant à rajeunir ou raffermir.

Pour « asexuer » un homme à mes yeux, rien de tel que des auréoles de transpiration sous les bras, une chemisette, des chaussettes blanches dans des Méphisto et une odeur d'after-shave bon marché. Le summum : quand il se déshabille et que je découvre qu'il a des champignons entre les orteils, du psoriasis à l'aine ou qu'il transpire âcre. Je n'ai alors qu'une envie: m'enfuir... Je n'ai pourtant jamais osé. Je serre les dents tout en sachant qu'il n'y aura pas de seconde fois. Max, par exemple. Quel est l'état de ses pieds, enfermés dans ses pompes de luxe? L'impression initiale fut d'enfer, mais plus le temps passe et plus Arnaud me déçoit. Hormis son regard franc et direct.

— J'attaque les échanges avec Catherine de Vouvray.

Sa voix aussi, chaude et sensuelle... Constat immédiat, elles se fréquentent beaucoup et semblent en compétition permanente. Ça ressort de leurs dialogues, même si c'est à fleuret moucheté.

— Dis donc, Saint-Gilles est un sujet récurrent dans leurs conversations. Je vais isoler tout ce qui a trait à lui.

Plusieurs centaines de lignes s'emparent de l'écran.

— J'ai classé les mails par dates. Les premiers remontent à six mois.

Le message initial dans lequel apparaît Pierre est un courrier d'alerte. Il est signé d'Iseult: « Il y a un journaliste qui cherche à avoir des infos sur les containers. Il s'est adressé à moi parce qu'il a fait le lien avec Mathieu et la compagnie de ferries. »

La suite confirme ce que je connais déjà des relations Iseult-Pierre, l'interview suivie de l'étude. À un détail près, mais de taille: tout a été méticuleusement planifié par les deux femmes. Y compris le fameux dîner évoqué par Iseult lors de notre entretien. Un traquenard dans lequel Pierre est tombé à pieds joints.

— Dis donc, elles n'ont pas froid aux yeux, les filles!

Arnaud vient d'énoncer tout haut ce que j'étais en train de penser. Nous sommes de nouveau sur la même longueur d'ondes et mon cerveau déchiffre et lit maintenant à la vitesse de celui de ce hacker chevronné... Pas mal!

Toute la difficulté est de ne pas décrocher, car ce que je commence à entrevoir me sidère. Dès le début, elles ont compris ce que Pierre cherchait. Il représentait une menace à leurs yeux. Elles n'ont ensuite de cesse d'avoir prise sur lui. Plutôt que de l'éconduire ou de l'envoyer sur de fausses pistes, elles cherchent à le contrôler et même à l'enrôler pour en faire leur complice. Afin de décider laquelle des deux va s'atteler à cette tâche, « s'y coller » dans leur jargon, elles tirent à pile ou face… C'est Catherine qui perd ou qui gagne, selon la perception que l'on se fait de leur relation à venir. Elle s'empare de la première perche qu'il lui tend. Au cours du fameux dîner, ce sera l'allusion au film de Buñuel, *Belle de jour*.

La suite, j'aurais pu l'écrire tant Pierre était prévisible en la matière. Elle lui envoie un SMS le lendemain, lui indiquant qu'elle est prête à tenter cette expérience, fixe une date trois jours plus tard, le 14 janvier à l'heure du déjeuner. À lui de tout organiser. Elle se contentera de venir au rendez-vous et de se plier à ses exigences… À « toutes ses exigences », a fait préciser Iseult, car ce courriel de réponse est le fruit d'un véritable travail sémantique. Les deux comparses l'ont peaufiné à distance, via Internet.

— Il n'a pas dû s'ennuyer, le Pierre… C'est un jeu qui me tenterait assez. Tu l'aurais fait, toi?

Il ne va pas remettre ça? Pas maintenant.

— Pourquoi? Tu fais partie de ces hommes qui sont persuadés qu'en toute femme sommeille une pute? À moins que tu estimes, comme Houellebecq, que « dès lors qu'elle se conclut par une transaction financière, toute activité sexuelle est excusée »?

Le fait de lui citer de mémoire un passage du dernier Goncourt l'a manifestement séché.

— Catherine a fait un compte rendu le soir même à son associée.

Moi qui ai visualisé la scène en long, en large, en travers et même plus, je suis curieuse de découvrir la version qu'elle en a donnée à Iseult.

— Si c'est une proposition déguisée, t'es gentil, mais ce n'est pas le moment. Je suis dans le rapport de Catherine…

— Mais pas du tout ! Excuse-moi…

Quelle conne je fais. Pourquoi est-ce que je lui réponds systématiquement de façon agressive ? Avec des propos socialement corrects, on ne peut plus convenus… Alors que s'il y met les formes, en insistant un peu, évidemment que je vais y monter, dans sa chambre ! Et en courant, même ! Toute la complexité de la séduction est là… L'art et la manière… et le bon moment ! Certains ratent le coche à force de trop attendre. Timidité ? Bonne éducation ? Morale à deux balles ? À l'arrivée, l'envie qu'on avait d'eux s'émousse. Avant l'heure, c'est pas l'heure, après l'heure, c'est plus l'heure ! Avec Pierre, coup de chance, nos montres étaient réglées à la seconde près… Allons, Arnaud ! Bats-toi, mets-y les formes ! Je ne vais pas te tomber dans les bras comme ça !

— Je te laisse seule quelques minutes, je monte chercher une bouteille d'eau fraîche sur la terrasse.

Arnaud est loin d'être stupide. Il sait pour Pierre et moi, c'est évident. L'interrogatoire de Paoli retransmis en mondovision depuis le bureau rouge, sans doute ! Il a décidé de faire profil bas et de la jouer façon cocker. Je préfère penser qu'il ne veut pas me gêner, par pudeur. Qu'il est tout simplement un type bien élevé, peut-être. Et pour ce qui est de la prose de Vouvray, il aura tout le temps de la lire par la suite…

Catherine a envoyé un long mail intitulé : « Tu veux savoir ? »

En plus, il pleuvait. Après s'être demandé comment s'habiller pour ne ressembler ni à une pute ni à une bourgeoise qui va s'éclater, elle avait décidé d'une robe en cashmere noire et d'une paire de bottes crème. Certainement ce qui serait le plus facile à retirer. Elle imaginait le type se débattre avec un jean slim puis des boots super serrées. Pas le moment d'avoir un fou rire. Sa spécialité dans les théâtres ou les églises. Il fallait quand même lui faciliter la tâche. Après s'être souciée de quoi faire et quoi dire, elle s'était laissée aller et avait décidé que le plus stressé, ce serait lui. Après tout, elle avait rendez-vous pour ne rien décider pendant une heure. Le client avait payé. Elle jouerait donc le jeu, se livrerait à lui corps et pas âme. Pour de l'argent... dont elle n'avait pas besoin. Elle ne l'aimait pas. Elle ne le désirait pas. La seule chose à laquelle elle pensait en se garant avant de le retrouver : il pleut, ça va foutre mes bottes en l'air. Comme quoi, la profondeur de l'âme féminine... Ascenseur glauque, femme de chambre devant ces portes numérotées toutes semblables, comme dans la maison de Oui-Oui ; sauf que Oui-Oui ne se fait pas payer pour sucer Potiron. Elle sonne, elle entend sa voix (pas seul ?) puis entre. Même pas gênée. Un peu tendue... Elle ne s'est pas déshabillée devant un homme depuis longtemps. Parce qu'en plus, elle est mariée. Et elle aime son mari. Il est calme (elle suppose qu'il cache sa nervosité, la pression), la fait asseoir face à une affiche de... couvent ? Le fou rire la guette. Nerveuse aussi, donc. Puis il a une idée de génie : il lui bande les yeux pendant qu'il lui caresse le dos, puis les épaules, les seins. Alors, dans cette nuit douce et feutrée, elle oublie qu'elle le connaît, s'émeut de découvrir un sexe se dresser contre son visage. Elle ne décide rien, mais il lui demande de le prendre dans sa bouche. Elle aime ce moment où sa langue tâte, explore et lape ce sexe épais, mouillé et dur. Elle pourrait continuer. Elle oublie la discussion sans fin sur la peinture. Ne reste que cette sensation dans sa bouche. Il se retire, l'allonge sur le lit et sort quelques gadgets. Rien d'intéressant, elle n'est pas là pour se masturber avec des trucs en plastique ! Elle attend la pénétration, le moment le plus difficile, celui où elle se rendra compte de l'alchimie corporelle (ou non). Toujours le bandeau sur les yeux, il l'attache... Pourquoi pas ? se dit-elle. Encore moins de responsabilités. Il entre en elle, commence à bouger. C'est bizarre, c'est bon, elle ne peut lui toucher ni le dos ni le visage. Ni voir. C'est dommage... Voir un homme la pénétrer l'excite toujours. Mais là, c'est lui qui paye. Donc c'est lui qui regarde. Il continue, dans la même position ; c'est forcément bizarre, jouir avec un homme qu'on s'efforce d'oublier pendant une heure. Il fait bien l'amour. Il s'arrête un moment pour boire et c'est peut-être le moment le plus délicat puisqu'elle se rend compte que ce n'est pas un inconnu qui la caresse et la fait jouir. Mais il reprend vite. Il a senti. C'est un homme intelligent. Il jouit. Cela fait une heure. C'est terminé. Elle décide de se doucher, non pour se laver de lui et oublier son odeur mais plutôt parce qu'elle a eu chaud. En sortant de la chambre, elle prend les billets, les range et les oublie aussitôt. Lorsqu'elle met le contact de sa voiture, elle sait que cette heure passée sera unique et que ce plaisir restera de même. Elle sait aussi qu'en se couchant chez elle, ce soir, aucune pensée, aucun souvenir désagréable ne viendront entacher sa nuit. Ni agréable, d'ailleurs. Elle a rangé ce moment dans une case de son cerveau. Parce que c'était un jeu. Qu'elle ne recommencera pas. Elle se dit cela avec un sourire aux lèvres et un goût d'iode dans la bouche. Ils ne s'étaient pas embrassés. Pas une seule fois !

En pied de cette pièce jointe, Catherine a ajouté : « Tu voulais savoir ? Maintenant tu sais ! » Suivi d'un post-scriptum : « Le sort m'a désignée pour écrire un des chapitres du polar dans lequel nous sommes maintenant plongées. »

Elle a raison d'évoquer un polar. Elle aurait même pu préciser : « littérature de gare » car son texte donne dans *Brigade mondaine*, l'une des séries du prolifique Gérard de Villiers. Elle l'a écrit d'un seul jet. C'est en tout cas ce qu'elle a précisé à celle qui aurait dû rester sa seule et unique lectrice. Avec quelques belles envolées, comme celle, improbable, sur Oui-Oui et Potiron !

L'écriture est une chose compliquée. Il m'arrive de boucler certains papiers en quelques minutes. D'autres me prennent des heures. Ce n'est pas forcément lié à la complexité du sujet. C'est une alchimie incompréhensible qui se joue dans le cerveau. Avec le temps, on a des trucs, des tics, des tocs même. Par exemple, devant mon clavier, face à la page blanche, je me gratte systématiquement la cavité de l'oreille droite avant de frapper la première touche. Pour quelle raison ?...

Écrit à la va-vite ou pas, le récit de Catherine est plutôt édulcoré au regard de la vidéo. Elle a omis certains passages. Pudeur ? Perception différente de ce qui s'est passé durant cette heure ?... En tout cas, elle n'a pas l'air traumatisée après cette première. Je sais déjà qu'il y aura une seconde fois, contrairement à l'engagement qu'elle semble avoir pris. Et que jamais il ne l'embrassera !

Arnaud est revenu. Sans le verre d'eau que, de toute façon, je ne lui ai pas réclamé. Je n'ai pas soif, sinon d'en savoir plus. De comprendre. Je navigue dans un brouillard opaque. Ne perçois pour l'instant aucune logique dans cet enchaînement de faits qui s'étalent sur plusieurs mois et ont abouti aux drames actuels.

Catherine a donc remis ça. Contre l'avis d'Iseult, d'ailleurs, qui, au fil des mails, commence à émettre de sérieux doutes sur la méthode employée pour contrôler PSG – sigle pas franchement original sous lequel elles désignent Pierre désormais. Dans cette relation, Catherine mène la danse. Elle a établi les règles. Pour obtenir un rendez-vous, Pierre doit à chaque fois doubler la mise. Tant qu'il alignera, elle, de son côté, ne pourra rien refuser. Catherine ne fait plus de compte rendu ni même de commentaires à Iseult sur ses prestations. PSG est devenu accro total à ce jeu. Pour quatre heures en sa compagnie, il aura déboursé 7500 euros. Beaucoup plus que Ribéry et consorts avec Zahia à la veille de la Coupe du monde ! Sans être top, Zahia avait au moins pour elle la fraîcheur de la jeunesse.

Une nouvelle séance entre Catherine et Pierre était prévue cette semaine. Son tarif : 8 000 euros. Dans les mails suivants, les échanges sont sévères entre les deux complices. Iseult estime que l'addiction de PSG l'a poussé à travailler de plus en plus. Pour financer sa débauche, il aurait déjà prévendu le sujet « Marseille-gate » à M6 pour « Zone interdite ». Enquête sur un trafic de clandestins. Mais aussi une exclusivité au *Point*, sur le même thème. Bref, loin de le contrôler, Catherine aurait au contraire dopé le « fouille-merde », qui ne lui a d'ailleurs rien révélé sur la teneur de son enquête. Iseult finit par lui annoncer que, de son côté, elle est entrée dans la danse, plus subtilement. Pierre s'intéresse à elle.

— N'importe quoi !

— N'importe quoi ? Tu es sûre ? Il t'a parlé, à toi, de son grand projet culturel entre deux parties de baise ?

— ???

— Eh bien, à moi, il m'a demandé d'y participer ! Je suis même la première femme à qui il l'a proposé.

— Tu es chez toi ? Je passe te voir. Il faut qu'on discute.

— OK. Mais rapidement. J'ai un dîner ce soir et les enfants rentrent de cours à 17 heures.

Cet échange entre les deux femmes remonte à quinze jours. Pour une fois, inutile de lancer une nouvelle recherche pour savoir de quoi elles parlent. On vient de le lire. Le tout dernier mail impliquant Pierre date de la veille de sa mort. Catherine a écrit : « Il a refusé !!! »

11
Des affaires

Mais qu'est-ce que Pierre a bien pu refuser? J'en viens à me demander si Arnaud a eu raison de rassembler les courriels par thème. On aurait dû commencer par les plus récents et remonter le temps.

— J'ai hésité tout à l'heure, mais je ne pense pas que débuter par les derniers mails d'Iseult aurait accéléré nos recherches…

Ça y est. À défaut de nos corps, nos pensées convergent de nouveau.

— Il y en avait beaucoup trop. Elle passait des heures sur le Net!

Ni plus ni moins que la majorité des possesseurs de smartphones… Pour beaucoup, c'est devenu un anxiolytique qui les aide à rompre la solitude et l'anonymat, leur donne l'impression d'être actifs, toujours et partout. D'exister, tout simplement.

— Une multitude d'interlocuteurs… Dans tous les domaines, des vendeurs de sushis aux agences de voyages, en passant par son mari, l'aîné de ses enfants, la baby-sitter, ses copines… Sans parler des mails directement liés à son travail. Mais là, j'ai beau chercher, je n'en vois pas beaucoup. Bon, je laisse tomber Pierre comme mot-clé et on épluche la boîte de dialogues entre Iseult et

Catherine depuis le début et dans sa totalité, en éliminant tous ceux qui ont trait à Pierre, bien sûr, puisqu'on les a déjà lus. Il faut absolument qu'on ait une vue d'ensemble. Il doit bien y avoir une cohérence dans tout ça !

Je ne fais aucun commentaire. Nous savons, lui comme moi, que certains éléments de réponse se trouvent dans les échanges entre les deux femmes.

Leur correspondance débute le 14 juillet 2009 à 9 heures. C'est clair, elles ne se connaissent pas à l'époque, puisque Catherine vouvoie Iseult.

> Je vous ai rajoutés sur la liste des invités de ce soir. Nous serons une trentaine. Buffet dans le jardin. Sono. On dansera. Pour Maximilien, nous nous sommes connues au William où nous avons fait une partie de tennis. Il est ravi de rencontrer des expats, d'autant que votre mari bosse dans le même secteur d'activités que lui. Je trouverai le moyen de vous faire accéder à son bureau et me débrouillerai pour que la session de son ordi soit ouverte.

C'est drôle qu'ils se considèrent eux aussi comme des expatriés. Après quinze ans passés ici, je ressens toujours cette même impression et mes seuls vrais amis ne sont pas originaires de Marseille.

> OK.

La réponse d'Iseult est aussi laconique que le message de Catherine est énigmatique. Plus curieux encore, les deux femmes resteront près de deux mois sans reprendre contact.

— Aucun mail entre elles de mi-juillet à septembre, mais elles se sont téléphoné…

Dommage pour nous. En même temps, ce sont les mois d'été, période de congés.

— … et vu les divers endroits d'où ont été émis les appels, j'en déduis qu'elles étaient en vacances.

Val-d'Isère et Saint-Jean-Cap-Ferrat pour Catherine. L'île de Ré, Florence, Édimbourg et la Corse pour Iseult, qui a la bougeotte.

— Ouais ! Le « Club des 5 » version bobo.

Arnaud a détourné son regard de l'écran et me fixe :

— Amusant, le clin d'œil à ses cinq enfants. Tu as le sens de la formule. Pour la famille nombreuse, même si tu ne m'as rien dit, je suis au courant. Je l'ai appris en écoutant ton interview.

Ça faisait longtemps ! Môssieur je-sais-tout a de grandes oreilles ! Exaspérant. Mais les yeux qu'il a !... Limite indécent. Bon, je dois rester concentrée sur notre travail : ouvrir les mails, tâcher de repérer ceux qui peuvent avoir un intérêt pour l'enquête. Loin d'être évident. Arnaud a mis en place un système qui nous permet de les stocker sur un écran à part, par ordre chronologique. Les autres disparaissent. C'est fastidieux et fatigant pour les yeux, mais pas de droit à l'erreur... À la rentrée de septembre, les conversations entre Iseult et Catherine reprennent et de façon beaucoup plus soutenue. Plusieurs échanges par jour. Je note aussi qu'elles sont passées au tutoiement.

— C'est comme si elles débutaient et terminaient leurs journées par ce rituel. Le premier mail est toujours de Catherine. Plutôt lève-tôt, elle le poste invariablement entre 6 h 30 et 6 h 40. La réponse d'Iseult n'intervient en général que vers 10 heures. Le soir, il n'y a pas de règle, mais leur conversation s'achève rarement avant minuit.

Le comportement d'Arnaud évolue. Désormais, il ne peut s'empêcher de résumer ce qu'il lit à haute voix... et surtout de le commenter.

— Ce sont leurs maris qui doivent être contents !

J'imagine assez bien la scène : Bobonne pianotant sur l'ordi depuis le lit conjugal. On peut rêver plus sexy pour doper la libido ! Encore que ce soit moins « tue l'amour » que la télé.

À la lecture de ces mails très privés, j'ai le sentiment de cerner un peu mieux les personnages. Leur vie respective se dévoile peu à peu. Impression étrange. J'ai conversé avec Iseult moins d'une heure, dans sa villa, juste avant sa mort. Autant dire que je ne la connaissais pas. Et pourtant, je la revois en permanence. J'ai même l'impression de capter encore la fragrance de son parfum et le timbre de sa voix. Idem pour Catherine, dont j'ai la vision la plus intime et personnelle qui soit, via les vidéos sur l'ordi de Pierre… Bref, les conversations de ces deux femmes me parlent. Ne me laissent pas indifférente. Au fil des jours, elles se racontent. Se confient. Se trouvent une multitude de points communs, comme dans toute amitié naissante. Non sans quelques surprises, d'ailleurs.

— Dis donc, elles ont l'air de bien s'entendre, ces deux-là ! Surtout quand il s'agit de tailler des costards…

Arnaud n'a pas tort. Entre deux mails anodins où elles parlent de tout et de rien, on découvre des portraits au vitriol d'hommes et surtout de femmes croisés dans les dîners en ville. Soirées auxquelles elles participent le plus souvent séparément car les Vouvray et les Rostand ne fréquentent pas les mêmes cercles. Les Vouvray, mondains, sortent ou reçoivent presque chaque soir. Les Rostand sont plus casaniers. Amateurs de cinéma, de concerts et de théâtre où ils se rendent seuls.

Dans leur correspondance, Catherine et Iseult évoquent aussi leurs enfants, huit à elles deux : de quoi alimenter les conversations ! Tout y passe : la rentrée scolaire et les premières bonnes notes, le tournoi de tennis remporté par le plus grand, la compétition de voile à venir du second, l'inscription au club de water-polo du troisième, « déjà repéré par l'entraîneur »… Une sorte d'autosatisfecit, comme si elles cherchaient à s'épater l'une l'autre. Surenchère de la réussite entre deux femmes qui, pourtant, semblent nouer, messages après messages, une relation sincère.

— Les femmes sont vraiment des salopes. Il n'y a pas d'amitié qui tienne…

La vulgarité d'Arnaud me tire brusquement de ma lecture.

— Quoi?

— Tu n'en es pas encore à la grande scène du III avec les maris? Façon vaudeville?

— Non, pas encore. Je ne survole pas, moi! J'essaye de comprendre, ça prend un peu plus de temps… Et puis, je ne t'imaginais pas tomber dans les lieux communs… À ce compte-là, moi aussi je peux enfiler des perles, du style : « Et les hommes, qu'est-ce qu'ils ont à la place du cerveau? »

Ma réplique a fusé. Pas réfléchie, même pas voulue. Un automatisme. J'ai gardé le regard sur l'écran. Lui, en revanche, me fixe, les yeux écarquillés, stupéfait face à « tant de haine » pour si peu… Il a raison : rien ne justifie ce hoquet de mauvaise humeur, si ce n'est la fatigue et l'énervement. Et puis, il y a la littérature de ces bonnes femmes… Autre raison de criser, contrairement à ce que je viens de sous-entendre. Arnaud, lui, semble avoir un cerveau un peu trop rempli de neurones et pas assez de testostérone…

Retour à notre lecture silencieuse. Les propos sur leurs maris sont souvent aigres-doux. Les deux couples s'invitent de plus en plus souvent. Jusqu'au premier incident, petit coup de canif dans la belle complicité entre ces deux femmes. Celui que vient de relever

Arnaud avec délicatesse. Un jeudi, dans son tout premier mail de 6h30, Catherine reproche à Iseult d'avoir « allumé » Maximilien la veille au soir. L'autre lui répond trois heures plus tard, comme à son habitude, et s'en défend avec véhémence, prétextant un excès d'alcool généralisé. S'ensuit un règlement de comptes assez édifiant où Iseult n'est pas en reste :

> — Ça te va bien de me faire ce genre de remarques ! Tu crois que je ne t'ai pas vue avec Mathieu !!!! à plusieurs reprises tu t'es frottée à lui ! Il m'a même avoué en rentrant qu'il avait eu « une belle érection » !
>
> — Plains-toi ! Tu as dû en profiter, non ? Enfin, j'espère pour toi, parce que, contrairement à ce que tu insinues, c'est moi qui ai dû faire des efforts pour calmer ses ardeurs. Et toi, quand tu as demandé à Maximilien de te masser le cuir chevelu !!!

Les mails sur ce thème se succèdent durant plusieurs jours. Jusqu'à l'annonce par Iseult, un soir tard, que « Mathieu serait partant pour une partie carrée » ! Les deux femmes, après moult échanges et détails graveleux sur les préférences et performances de leurs conjoints respectifs, paraissent enfin ouvertes à la proposition.

— Dis donc, Arnaud, en mettant « partouze » en mot clé, tu peux voir s'il y a des messages en rapport avec le sujet un peu plus tard?... Des détails, par exemple? Pour une fois qu'on tient un fil conducteur...

Tout en suggérant cette recherche grivoise, je jette subrepticement un coup d'œil sous la table en verre. Pas de renflement particulier du pantalon. Décidément, cet homme est de glace. Je viens quand même de lui tendre une perche...

— Tu t'égares, Annabelle. Je ne suis pas là pour fouiller dans la vie privée de ces couples. Je vais plutôt regarder si Iseult et Catherine n'échangeaient pas aussi via une autre boîte mail que celle de leur domicile. Car, pour l'instant, je te signale qu'on n'a rien ! Hormis le fait qu'elles se soient liées d'amitié.

Il n'a pas dû digérer ma réflexion quand il a cherché à mater la photo de « l'orgasme d'Iseult ». Son ton est hautain, sa bouche pincée. Insupportable ! La baronne de La Tronche en biais dans toute sa splendeur.

— Bingo ! Elles se parlent aussi via Granny-Smith et c'est beaucoup moins futile.

Première info d'importance, les mails sur cette adresse « pro » sont antérieurs à l'échange perso du 14 juillet. Ils commencent dès la mi-juin, très formels et espacés. Le vouvoiement est de rigueur. C'est Catherine qui a amorcé la relation depuis son bureau.

— On m'a demandé de vous contacter pour une prestation informatique qui doit passer par l'ordinateur portable de mon mari.

— Effectivement. La session de votre mari devra être ouverte. Mon intervention ne durera que quelques minutes.

Qu'est-ce que c'est que cette opération de maintenance qui ne peut se faire que sur l'ordinateur personnel de Vouvray, apparemment à l'insu de celui-ci ?

— Ce ne sera pas facile. Maximilien, mon époux, travaille chaque soir sur son ordinateur, mais une fois qu'il a fini, il ferme systématiquement son profil et je ne connais pas son mot de passe.

— Débrouillez-vous ! Impossible de faire autrement. Je dois pouvoir accéder au serveur de la Compagnie du Levant et le moyen le plus discret est de le faire de cet ordinateur et chez vous.

Arnaud est redevenu extrêmement concentré. Nous savons tous les deux que nous arrivons au cœur du dossier. Le nom de la Compagnie du Levant figurait sur les notes de Pierre. Il laissait même entendre que la société était impliquée dans le trafic. À plusieurs reprises, Iseult relance Catherine, mais en vain. Manifestement, celle-ci ne parvient pas à faciliter l'accès à l'ordinateur de son mari. Elle explique que Vouvray fait des allers-retours incessants à Paris. Qu'il est souvent absent. Mais surtout, que la difficulté est d'imaginer un moyen pour qu'il interrompe son travail, sans pour autant se déconnecter. Le tout, en présence d'Iseult dans les parages ! Autant de conditions *sine qua non* que Catherine n'arrive pas à réunir.

Il leur faudra attendre un mois pour que l'occasion se présente, et c'est finalement l'informaticienne qui trouve la date opportune : le 14 juillet. La fête nationale et le feu d'artifice seront un prétexte idéal pour une réception. Au cours de la soirée, elle arrivera bien à s'absenter quelques minutes sans se faire remarquer, d'autant que le bureau de Maximilien se trouve à l'étage. À Catherine de jouer comme elle l'entend…

Celle-ci ne révèle le stratagème dont elle a usé vis-à-vis de son mari que le jeudi 15. Le ton a changé. Manifestement, les deux femmes ont sympathisé au cours de la soirée. Je soupçonne Catherine d'avoir été volontairement crue dans son compte rendu. Peut-être dans le but de choquer Iseult. Plus sûrement pour lui rappeler qu'elle a accompli sa part du contrat. Sa prestation ne relève quand même pas de l'exploit : à l'heure où les premiers invités étaient censés arriver, Maximilien était scotché devant son ordi, comme d'habitude. Catherine est « montée lui faire une gâterie. Aux premiers coups de sonnette à la porte, il a rajusté son pantalon et a oublié de fermer sa session ». Fin de citation !

— Iseult a dû introduire un virus dans le logiciel de la compagnie maritime, je dois pouvoir le trouver. Je me mets sur une autre bécane.

Vas-y, mon gars ! Je sais déjà quel était son objet. Il devait permettre d'effacer toute trace de certains containers transportés. Ceux remplis de clandestins. Si Iseult a été choisie, c'est pour ses qualités d'informaticienne, mais surtout parce qu'elle connaissait les logiciels de traçabilité, via ceux de la compagnie de ferries où bosse son mari. Elle avait tout loisir de les étudier et de travailler à la mise en place d'un système complémentaire.

Ça me rappelle le premier scandale public de l'ère informatique. Un employé de banque futé, chargé de la maintenance des ordinateurs, avait détourné pendant deux ans tous les centimes enregistrés à chaque opération sur les comptes clients. Ils étaient virés automatiquement sur le sien ! Personne ne s'est aperçu de rien. En deux ans, centime par centime, il avait amassé une fortune. Il s'est fait prendre bêtement, à cause d'une panne, tandis qu'il était en vacances. L'informaticien dépêché par le siège central de la banque – dans les années 1980, les agences n'étaient pas encore en réseau – a immédiatement détecté l'anomalie.

Concernant Iseult, j'imagine que le système est beaucoup plus sophistiqué. Encore que… Il s'agit d'effacer de certaines cargaisons des containers que, de toute façon, personne ne viendra jamais réclamer. Avec Arnaud, nous savons maintenant qui la payait et combien. Son contrat lui donnait droit à un pourcentage sur la cargaison. Elle évoque d'ailleurs sans aucune gêne, dans ses mails à sa « nouvelle meilleure amie », les sommes qu'elle perçoit. Elle va jusqu'à tenir une comptabilité sordide. Ce qui a au moins le mérite de nous donner une idée de l'ampleur du trafic. À raison de 1 % perçu sur chaque clandestin, sachant que le coût du passage est de 15 000 euros, qu'elle a reçu les six derniers mois 450 000 euros, combien de personnes auront voyagé en container première classe ? La réponse à ce « problème de robinet » niveau CM2 donne le tournis : trois mille ! Ce qui signifie que, sur un an, via la Compagnie du Levant, le réseau de passeurs a fait entrer en France environ six mille clandestins. Et ce en toute impunité, au nez et à la barbe des autorités. Nonobstant quelques ratés sans conséquence, tels que ce convoi corse qui a mis la puce à l'oreille de Pierre…

— Arnaud, ne perds pas de temps avec le logiciel espion. Les flics le mettront facilement au jour. On en sait assez. J'ai plutôt besoin de toi pour comprendre une chose : pourquoi ont-ils gardé Iseult dans la boucle ? Elle a été grassement payée, 100 000 euros, pour concevoir le virus et le mettre en place. Pourquoi avaient-ils encore besoin d'elle ?

— Ça, je peux te répondre tout de suite ! Elle n'était pas folle, la guêpe… Le système qu'elle a conçu nécessitait de sa part une intervention informatique manuelle à chaque nouvelle cargaison. Iseult a su se rendre indispensable. Preuve que ceux qui l'employaient n'y connaissaient rien.

— Tu peux revenir sur les comptes de sa boîte ? Et retrouver son second gros client ?

Vingt secondes à peine et la réponse arrive :

— Il s'agit du Yacht Club de Berre-l'Étang qui lui verse son écot presque chaque semaine. 25 000 euros en six mois. C'est une association qui a moins d'un an. Elle regroupe des passionnés de ski nautique et de pêche au gros.

— Aux gros quoi? On se le demande… Curieux mélange des genres, non?

— La pêche au gros, c'est la pêche à l'espadon, au thon…

Il n'a pas saisi mon calembour. Il me prend pour… une fille!

— Et sa présidente n'est autre que… je te le donne en mille?

— Catherine de Vouvray!

— Gagné.

Décidément, il a un côté boy-scout…

— Les mots clés s'étant révélés efficaces, je vais regrouper leurs échanges concernant cette « petite entreprise »…

(Qui ne connaît pas la crise.)

— … qu'elles mènent de concert. Je commence avec « poisson, ski ». Si tu as d'autres idées…

— Rentre « % ».

S'il se révèle un informaticien de génie, la touche psychologique est plus de mon ressort. Une vingtaine de messages s'affichent sur l'écran. Quelques semaines après les courriels au sujet du trafic de clandestins, une discussion virulente oppose les deux femmes. Iseult exige de Catherine qu'elle lui rémunère davantage son intervention sur les containers de thon. En réponse, Vouvray explique que le barème est identique à celui des humains et que c'est déjà très bien payé; qu'Iseult, non seulement n'a pas eu à modifier le logiciel, mais qu'il lui suffit d'une simple manip, depuis chez elle, pour introduire la nouvelle modification permettant d'effacer toute trace des caisses, une fois débarquées au Japon. Catherine lui rappelle au passage que c'est elle qui a eu cette idée. Elle encore qui a négocié avec les pêcheurs sétois et marseillais. Elle, enfin, qui assume tous les risques.

— Il n'y a pas une mais deux affaires de contrebande ! Ces femmes sont machiav…

Arnaud n'a pas le temps de finir sa phrase. Les écrans sur lesquels nous travaillons sont devenus subitement noirs.

— Il se passe quoi, là ?

Je le vois pianoter comme un fou sur son clavier. Sa réponse me glace le sang :

— Toutes les machines d'Iseult sur lesquelles nous intervenions à distance viennent d'être brutalement déconnectées. Putain, j'ai tout perdu ! Pour ne pas laisser de trace, je travaillais directement dessus ! Je n'ai rien importé. Son iPhone aussi a disparu. Pas simplement éteint, sinon je le localiserais. Il n'y a qu'une explication : il a été détruit !

— C'est peut-être la police qui les a saisis ?

— Impossible. Je te dis que les machines ont été détruites ! Or ce sont des pièces à conviction. Une équipe de lessiveurs a dû être envoyée chez elle pour faire disparaître tous les éléments compromettants.

— Alerte les flics !

— OK. Je déclenche à distance l'alarme de son domicile. D'ici quelques minutes, on aura le premier rapport radio du type de la boîte de sécurité envoyé sur place. C'est lui qui préviendra le commissariat du quartier s'il y a des signes d'intrusion.

— T'as le nom de la société de sécurité en question ?

— Ouais, très original : Assistance Sûreté Sécurité !

— C'est celle de Spignoli.

Impuissants, nous restons là, devant les écrans muets. Plusieurs minutes passent… et toujours rien. Le silence.

Pas un seul échange radio ou téléphone concernant la maison des Rostand, passé ou reçu depuis le poste de commandement de la boîte de sécurité sur lequel Arnaud s'est branché…

— Tu peux faire quoi, là ? Il faut qu'on sache !

— J'alerte le commissariat du VIIIe, au nom d'ASS, en dérivant une ligne de leur standard. Annabelle, c'est la première fois que je mets les mains dans le cambouis. Je n'aime pas ça… Je sors totalement de ma fonction.

— En me faisant venir ici aussi, je te signale ! Alors ne te pose pas de questions et fonce !

Quelques instants plus tard, la radio de la patrouille de police envoyée sur les lieux crache les premiers renseignements : « Grille ouverte. Porte d'entrée forcée. Intérieur du domicile sens dessus dessous. » Et la liste s'allonge… Les fonctionnaires dépêchés sur place reçoivent l'ordre de ne toucher à rien et d'attendre l'arrivée de la crim. Nouvel échange radio : le commissaire Paoli a envoyé une équipe et lui emboîte le pas…

Je ne vois pas ma tête, mais Arnaud a blêmi. Le lien avec la mort d'Iseult est évident…

— Je ne reçois plus aucun signal. À tous les coups, les ordis, téléphones et autres preuves potentielles ont été emportés et sans doute balancés dans la mer.

— Il nous reste l'ordinateur de Pierre. Je vais le chercher. Aucun risque que les lessiveurs connaissent l'appartement. Il n'était pas à son nom, mais à celui d'une SCI au nom débile de « Lupanar ».

Je n'attends ni sa réponse ni surtout son autorisation pour quitter la pièce. Un tonitruant « Anna ! » me parvient au moment où la porte blindée se referme derrière moi. Je déteste qu'on me réduise par ce diminutif…

12
Des morts

Je monte l'escalier quatre à quatre. La clé est toujours à sa place, derrière le tapis de la troisième marche. Une astuce pour la récupérer sans avoir à se baisser, quand il rentrait fourbu de son jogging.

Il m'a fallu cinq minutes à peine pour venir des docks. Je crois bien avoir grillé le feu rouge à l'angle du boulevard des Dames, pas très malin dans ce périmètre réputé pour sa surpopulation policière ! Aberration ou gabegie de la fonction publique… Cent mètres séparent l'Évêché, centre névralgique de la police marseillaise, du commissariat du IIe arrondissement, un bâtiment haussmannien qui dispose de peu de places de parking. Conséquence : des flics qui se garent n'importe où dans les rues adjacentes. Tout est bon : passages cloutés, double voire triple file… rien ne les arrête ! Assurés que la seule présence d'un petit papier derrière le pare-brise, signalant qu'ils sont de la « maison », leur évitera une prune… Comme on est à Marseille, les habitants du quartier ont vite pigé le truc : les précieux sésames fleurissent sur un grand nombre de voitures. Résultat, un bordel monstre ! Là où ça se complique pour la police nationale, c'est lorsque les collègues de la municipale, pour une raison souvent obscure, différend entre chefs de service des deux entités ou engueulade au niveau politique entre le maire et le préfet, décident de les aligner et font une descente dans le secteur. Un mouvement d'humeur qui se produit trois ou quatre fois par an. En attendant, si un policier en faction a relevé ma plaque, moi je n'y couperai pas, ce sera quatre points en moins... Merde !

J'ai une légère appréhension en entrant dans la pièce. Coup d'œil circulaire pour tenter de repérer les deux mouchards installés par Paoli... en vain. En même temps, je ne m'attendais pas à voir des caméras de cinéma montées sur trépied ! Ce sont des pros... Arnaud, depuis son écran, doit m'observer, tandis que les flics, eux, continuent à ne visualiser que les images fixes qu'il leur envoie. Par pure provoc, je le salue d'un geste de la main en faisant un tour sur moi-même à 360 degrés. Au moins, il sait que je suis bien arrivée.

Je garde mon blouson, ma seconde peau, pose mon sac par terre, mon casque et mes gants sur un des deux fauteuils club. Petit détour par la salle de bains. Ça fait deux heures que je me retiens. Pas très glamour de demander à Arnaud où se trouvaient les toilettes dans son loft... Pudeur mal placée, mais on ne se refait pas. Je suis sûre au moins d'une chose, pas de caméra dans ces 5 m^2. Risque encore moindre dans le réduit adjacent, qui doit en faire à peine un ! Regard rapide dans la glace en sortant. J'ai vraiment une sale tête. Sur l'étagère, le flacon de parfum de Pierre... Machinalement, je vaporise Caron sur mon poignet gauche... et je respire, profondément.

Les ordinateurs et mon magnéto sont sur le bureau. Je devrais les embarquer et filer immédiatement. Mais le sentiment d'urgence a disparu. Je m'installe et allume son Mac. J'imagine Arnaud à l'autre bout, qui doit fulminer de me voir traîner ainsi ! Mais je n'ai pas envie qu'il découvre en même temps que moi ce que contient l'ordi de Pierre. Partager les infos, d'accord, mais rien ne m'empêche de conserver une longueur d'avance. Provocation pour provocation, je lui montre que j'éteins mon téléphone. Me voici injoignable. Quelques petites choses à vérifier et je lui remettrai la bécane. Je n'en ai pas pour longtemps...

Le problème est que, ne sachant pas ce que je veux trouver précisément, je suis bien incapable de lancer une recherche par mots clés, à la façon du hacker qui m'épie. Pas de fond d'écran. Pierre n'était pas du genre à personnaliser son bureau. Hormis les raccourcis des vidéos et du dossier « Pomme verte » déjà consultés, une kyrielle de documents s'affichent. Toujours dans son obsession d'aller plus vite, Pierre laissait ses dossiers sur la page d'ouverture, la plupart du temps sans prendre la peine de les nommer explicitement. Une majuscule suffisait. Lui s'y retrouvait très bien. Je clique au hasard.

« I », une missive aux impôts pour réclamer un délai de paiement. « P », une préface pour le livre d'un jeune peintre local. « R », un relevé de citations et de bons mots mais sans les auteurs... « M » comme... musiques? Gagné! Une trentaine de mp3 dont les titres me sont familiers... Je les lui avais enregistrés il y a trois ans environ, pour accompagner ses courses en solitaire. Ils sont un peu datés, mais contre toute attente il les a gardés. Par flemmardise ou fidélité à sa manière, peut-être? Au bout du dixième document, je tombe enfin sur un contenu intéressant. La trame de l'article qu'il entendait vendre au *Point*. L'intitulé du doc est « W ». Pour Watergate? Rien à voir, il s'agissait d'écoutes politiques. Wasp? Wagon? *Why*? WC? Association d'idées lamentable... J'alterne les voyelles et les consonnes. Pour les autres documents, la lettre était une initiale, mais là, ça ne donne rien. Inutile de me creuser la cervelle. J'ai toujours été nulle au Scrabble...

Il ne s'agit que d'une ébauche. En italique, ce qui ressemble à des pistes de réflexion. « W » comme « travail » en anglais, *of course*! Pierre a choisi la forme chronologique. Il débute par l'épisode des clandestins débarqués en Corse, enchaîne par le bateau qui passait au large cette nuit-là... Le paragraphe suivant ne m'apprend pas grand-chose: les containers, le logiciel qui permet de les faire disparaître, tout ça, je le sais déjà... Je poursuis ma lecture en diagonale, sans conviction. À la cinquième page, des noms se détachent en gras. Trois patronymes qui figuraient déjà sur sa note manuscrite. Pendorro, le docker; Belkacem, le pêcheur, qui vient d'être abattu; et Spignoli, le patron de la plus grosse boîte de sécurité de Marseille. Tous les trois travaillent dans l'enceinte portuaire. Pierre a « des preuves sur leur implication dans le trafic ». Pendorro a trempé dans pas mal d'affaires, a séjourné plusieurs fois aux Baumettes et ne doit de continuer à travailler sur le port qu'au fait qu'il est arrière-petit-fils, petit-fils et fils de dockers. Tu m'étonnes!

Ce que Pierre n'a pas écrit dans son article, alors qu'il le savait aussi bien que moi, c'est que la lignée des Pendorro ne s'arrête pas avec ce membre gangrené: son fils, tout juste âgé de vingt ans, est entré à son tour dans la secte des « gros bras ». Une idée reçue, d'ailleurs, car les dockers français sont aujourd'hui des techniciens de haute volée, maniant des engins ultra-sophistiqués et touchant des salaires de cadres supérieurs. Ne perdurent que la solidarité et l'appartenance à la CGT. Ce dernier point n'est pas le moindre des anachronismes. La centrale ouvrière dispose avec eux d'un service d'ordre hors pair. Mais en interne, elle a de plus en plus de mal à justifier l'esprit de compagnonnage qui réserve prioritairement les emplois à la famille. Un privilège digne de la Nuit du 4 août… Enfin, la défense acharnée d'avantages acquis de salariés percevant autour de 3000 euros nets par mois se révèle de plus en plus délicate en termes de communication, vis-à-vis de la base comme des autres centrales syndicales.

Après Pendorro, vient le tour de Belkacem. Écrivant ces lignes, Saint-Gilles était loin d'imaginer que le « patron pêcheur » se ferait buter, encore moins qu'il séjournerait à ses côtés dans un des frigos de la morgue. La mort de Pierre me paraît toujours aussi irréelle. À plusieurs reprises, ces dernières heures, je me suis surprise à vouloir lui téléphoner pour savoir s'il avait des infos. On ne se voyait plus beaucoup, mais il n'était pas rare qu'on s'appelle sur les gros coups. En fait, c'était toujours lui qui appelait, parce qu'il travaillait seul et qu'au journal nous sommes cent cinquante, toutes éditions confondues ! Une force de frappe qui permet de mailler le territoire, multiplier les réseaux et les sources.

Belkacem, selon Pierre, organise le débarquement de clandestins en mer, au large, depuis les porte-containers jusqu'au littoral, comme ce fut le cas en Corse et à Fréjus voici quelques années. Pour ceux qui arrivent à quai, ce sont les dockers du clan Pendorro qui repèrent, isolent les caisses de marchandise humaine et les transbordent avec précaution sur un camion dédié. Les agents de sécurité de Spignoli les laissent ensuite sortir du port, sans contrôle. Pierre précise, mais en italique, qu'il a « demandé à Bessier de shooter au téléobj un de ces transbordements avec Pendorro et Spignoli. Ils assistent en personne aux convois massifs ». Attendait-il cette preuve ultime pour sortir l'article ?

Je déplace le doc. Sous l'icône, une photo intitulée « B », posée sur le bureau. Pas terrible. Très sombre, on distingue un container portes ouvertes et des silhouettes autour. Ce pourrait être n'importe où et n'importe qui. Ce n'est pas une preuve très probante. Quant à Bessier, je vais avoir une petite explication avec lui. En tant que photographe permanent du journal, il n'est pas payé pour faire des gâches à côté, encore moins pour nous priver d'un scoop ! Il sait que lorsqu'un titre national sort une info sur Marseille avant nous via son unique correspondant, ça crise au journal. Tout le monde en prend pour son grade ! Ce sera la revanche posthume de Saint-Gilles pour la photo dégueulasse en une au lendemain de sa mort.

Neuvième page. C'est un gros dossier pour un news. Du lourd ! J'arrive à la conclusion du papier. Pas de conditionnel là non plus. Sa conviction est faite : le couple Vouvray est à la manœuvre. C'est monsieur qui a découvert le trafic. Au lieu d'y mettre fin, « il l'a globalisé et mondialisé. Le Milieu organise, palpe et arrose. Et madame encaisse les commissions via un club nautique dont elle est la présidente ». Intellectuellement, ça se tient, sauf que, depuis qu'Arnaud m'a permis d'accéder aux mails et aux comptes bancaires d'Iseult, je sais que c'est plus compliqué. Catherine n'a jamais perçu un euro sur le trafic des clandestins. Quant à Maximilien, il est à des années-lumière de cette magouille !

Je suis sur le point de refermer le doc quand j'aperçois en bas de page, en gras et en italique, ces quelques mots : « Plus besoin de recoupements, Vouvray a essayé de m'acheter. Preuve à l'appui ! »

Du coup, je vérifie la date d'enregistrement du dossier : 23 h 30, la veille de sa mort.

Coup d'œil à ma montre. Le temps défile. Je suis là depuis une bonne demi-heure. De l'autre côté de la caméra, Arnaud doit être furieux. Je l'imagine zoomant sur l'écran pour lire dans mon dos… Ça m'étonnerait qu'il y soit parvenu, je suis pratiquement collée à l'ordinateur. Il se débrouillera avec le disque dur. Allez, juste une dernière icône avant d'éteindre ! « A » comme… un mot, une lettre pour moi? Qu'il ne m'aurait jamais envoyée? Je clique… Ouverture… Non, ce n'est qu'une bafouille adressée à maître Blanc, notaire marseillais. Elle est datée de mars 2008, quelques jours seulement après que je lui ai remis ma prose en guise de rupture. Une période qui m'a marquée : je n'ai toujours pas repris les six kilos perdus à l'époque. Immédiatement, mes yeux sont attirés par un nom : le mien, et en majuscules s'il vous plaît ! Le texte est court et on ne peut plus officiel. Il a pour objet de confirmer l'ensemble des dispositions prises à mon « endroit ». Quelles dispositions? Ça signifie quoi? Qu'il avait dans l'idée de se suicider? Il ne m'a jamais rien dit, jamais rien écrit… Si je l'avais su, serais-je revenue pour la énième fois? Question stupide, puisqu'il ne l'a pas fait…

Du bruit sur le palier. Merde, quelqu'un bricole dans la serrure ! À tous les coups, c'est Paoli. S'il me voit avec l'ordi de Pierre dans les mains, je suis cuite : dissimulation de preuve, faux témoignage, c'est le juge assuré et, dans la foulée, le journal qui me lâche pour faute professionnelle. Merde, merde et re-merde. Je referme le Mac, dans un même geste embarque les deux ordis, mon dictaphone et fonce le plus silencieusement possible dans la salle de bains. Surtout, ne pas claquer la porte. Je la laisse entrouverte. Planquée dans l'encoignure, il ne risque pas de me voir. Moi, en revanche, je pourrai jeter un œil. Tentation de pousser la seconde porte et d'aller m'enfermer dans les toilettes. Stupide, je ne verrais rien, c'est le cul-de-sac du cul-de-sac !

Des hommes pénètrent dans l'appartement, treillis, cagoule, gants. Putain, c'est le Raid ! Qu'est-ce qu'ils viennent foutre là ? Ils referment la porte... Deux seulement ? Ça ne peut pas être le corps d'élite... J'ai les jambes coupées. Mes mains tremblent. Une sueur glacée descend le long de mon dos. Pour la première fois de ma vie, j'ai vraiment peur. Je suis prise au piège et je ne sais pas me battre. Pourvu qu'Arnaud soit toujours derrière l'écran... Par la fente, j'aperçois de dos les deux armoires à glace fouiller dans les rayonnages avec délicatesse. Visiblement, ils veulent faire le moins de bruit possible. Ils cherchent quelque chose dans les livres, les déplacent, ouvrent les plus gros. C'est bizarre qu'ils aient commencé par ces étagères... À leur place, je me serais d'abord intéressée aux tiroirs du bureau. Trop évident, peut-être...

Les minutes me semblent des heures. Je ne peux pas rallumer mon portable, la musique de l'opérateur me ferait immédiatement repérer. Arnaud est mon seul salut. Pourvu qu'il regarde ! Avec la chance qui me caractérise, un des deux va bien avoir envie de pisser... Curieux, d'ailleurs, qu'ils ne cherchent pas à voir ce qu'il y a derrière cette porte. Je suis morte de trouille, mais dans n'importe quel film ils passeraient pour des branquignoles, même s'ils ont gardé leurs gants pour la fouille. L'un des deux vient de s'asseoir sur le canapé, soufflant et pestant, avec un accent marseillais à couper au couteau. L'abruti, il retire sa cagoule ! Avec les caméras qui tournent, il est bon pour un portrait... Putain, c'est Pendorro ! Ange Pendorro !

— Oh, Tony, lève la cagoule, y'a personne ici, y fait chaud... Tiens, y'a un frigo à vin, on va se faire une bouteille, on a le temps. J'avais dit à Spignoli, ton con de boss, qu'on ne trouverait rien ici… Putain, ces anciens flics, ils en savent toujours plus que tout le monde ! Ah ça, c'est sûr, chez les bourges du VIIIe, ils ont dû les trouver, les ordinateurs !

— Ange ! Le sac de gonzesse, là, c'est normal ? Il nous avait pas dit que c'était un baisodrome, qu'il vivait seul ici le macchabée ?

Pendorro lève les yeux vers le fond de la pièce. À son regard, je sais que je suis foutue. Brusque montée d'adrénaline, j'ouvre la porte d'un coup sec. Sans lâcher les ordis, je me rue hors de la salle de bains et tente de gagner l'entrée en hurlant. Un rugissement qui m'effraie moi-même. Rien à foutre de mon sac à main, la seule chose qui compte c'est m'échapper ! J'ai l'impression que mes forces sont décuplées, que je file à la vitesse du vent ! Tu parles… Je n'ai pas parcouru deux mètres que mes pieds décollent brusquement du sol. Il est véloce, le gros Tony ! Il m'a attrapée par les cheveux… Je suis bloquée net, souffrance atroce, je continue de crier, mais sous l'effet de la douleur. Jusqu'au moment où une paluche épaisse se plaque sur ma bouche.

Certains racontent qu'avant de mourir on revoit sa vie défiler en un flash. Moi, c'est tout le contraire : je ne pense qu'au futur immédiat. Je suis persuadée qu'ils ne me laisseront pas sortir vivante. Le froid d'une lame sur ma gorge me pétrifie. Un mouvement dans mon dos. Je ne le vois pas mais le devine : Pendorro s'approche.

— Je la connais…

Pour sûr ! Il m'a même menacée devant des dizaines de témoins au verdict de son procès, que j'ai suivi pour le journal.

— C'est la salope qui a fait l'article sur moi, après le tribunal. Quand j'ai pris six mois ferme. Je m'étais juré de régler mes comptes à la sortie.

Ça remonte à deux ans. Je n'avais pas pris la menace au sérieux. Pendorro était une « bouche », tout le monde le savait à Marseille. D'ailleurs, il ne s'était pas manifesté depuis sa levée d'écrou…

— Attends, Tony. Ne la plante pas tout de suite…

— Hé, pour l'ordinateur du journaliste, Spignoli avait raison. Il était bien dans cette crèche. Y'en a même deux !

— Tu faisais quoi ici ? Réponds !

Les mains de Pendorro s'attaquent à la ceinture de mon jean. Je ne bouge pas. Respire à peine. Mon cerveau, d'une lucidité effrayante, a déjà analysé ce qui allait suivre, comme s'il s'était détaché de mon corps. Il enregistre tout. Me dicte les attitudes à suivre. Je sens mon dos se creuser alors que le Ralph Lauren glisse le long de mes jambes. Le souffle de Pendorro s'accélère. Il est à genoux derrière moi. Agrippé à mon pantalon, maintenant sur mes chevilles. Les boots le gênent. Il se redresse en me soulevant comme une plume et me les arrache. Le jean suit. Il m'a reposée à terre. Je sais qu'il me reluque. Qu'il prend son pied.

— Je savais que mon confrère avait un ordinateur ici. Nous avions déjà travaillé ensemble sur des articles. Je suis passée le prendre. C'est tout. Je venais d'arriver. Je me suis cachée parce que je vous ai pris pour la police.

J'ai lâché cette explication à toute vitesse, d'une voix assurée. Enfin, je crois. L'étreinte de Tony s'est légèrement desserrée. Les mains de Pendorro passent sous ma culotte, me fouillent. Elles sont calleuses. J'ai un haut-le-cœur. Prends ton temps, mon salaud… La cavalerie va arriver. Elle ne saurait tarder… Continue, Annabelle. Occupe-les…

— C'était un vol. Je ne risque pas d'aller raconter qu'on s'est croisés ici ! Et pour l'ordi… je vous l'achète.

Pendorro poursuit sa palpation dégueulasse. Le souffle des deux hommes s'est accéléré.

— Trois mille… Cinq mille… Mais si c'est vraiment important pour vous, gardez-le, l'ordi de Saint-Gilles ! Le mien aussi, si vous voulez ! Il y a une foule d'informations dedans… Et je ne dirai rien ! Je ne vous ai même pas vus… Laissez-moi partir !

— Regarde, elle se laisse faire ! Elle a envie. Toutes des chiennes… Elle mouille !

Crois-le, connard ! Tes doigts me labourent. Si tu t'imagines que je ressens quelque chose… Juste de la peur et un instinct de survie qui m'ordonne de gagner du temps. Tiens, mate ! Tu veux un soupir ? En voilà un !

— Attends, Pé, c'te salope, on va s'la faire à deux… Elle va me sucer.

La lame vient de quitter ma gorge. Le susnommé Tony, de la main gauche, me maintient toujours la tête d'une poigne de fer. De la droite, il se dégrafe. Il sort son sexe, petit, boursouflé, mais raide. L'approche de mes lèvres. Surtout ne pas dégueuler. Même pas un hoquet de dégoût… Paoli, dépêche-toi ! Je t'en supplie, arrive !

Sonnerie de portable. Les deux hommes stoppent net. Encore quelques secondes de gagnées.

— Ce doit être le petit, en bas, qui s'impatiente. Je réponds pas. C'est mon heure. Tu vas voir comment j'la nique, la presse ! J'l'encule, même !

Je sens le sexe de Pendorro contre mes fesses. Le bout de tissu censé les protéger est écarté sans ménagement. Ne pas crier, pousser quand il va s'enfoncer. Ça fera moins mal. Pierre était persuadé que j'avais connu la sodomie dans cette pièce. Je le lui avais laissé croire, pour flatter son ego de mâle. Il m'avait ensuite avoué qu'il s'agissait pour lui d'un acte de domination. Qu'il n'aimait pas vraiment ça, mais qu'il ressentait toujours le besoin d'amener une femme à l'accepter. Il s'était senti obligé de théoriser, de se justifier, alors que cette nouveauté ne m'avait, et pour cause, pas le moins du monde traumatisée. J'avais même pris mon pied. Et nous avions passé ce cap comme un nouveau jeu. En fait, j'étais entrée quelques années plus tôt dans le cercle des 12 % de Françaises initiées. Je me suis toujours demandé si ces statistiques qui encombrent les magazines féminins sont sérieuses. Personnellement, je n'ai jamais répondu à une enquête d'opinion sur le sujet ! Et si une question aussi intime m'était posée, je ne pense pas que je me laisserais aller à des confidences, même sous couvert d'anonymat.

Brusque retour dans le monde réel. Tony me plaque la tête sur son sexe. Odeur fétide. Celui de Pendorro est en position. Mon cerveau continue d'interpréter froidement les données : le viol, mon viol va débuter... Pourvu que ces deux salopards ne soient pas des éjaculateurs précoces. Plus ça durera, plus mon exécution, d'ores et déjà programmée dans leurs têtes de malades, sera retardée ! Arnaud, qu'est-ce que tu fous ? Ils sont où, les policiers... ?

La pression de Tony sur ma nuque s'accentue. Je vais être obligée de l'engamer... Ne pleure pas, Annabelle... Serre les dents. Ou plutôt, ouvre la bouche...

Brusquement, son sexe s'éloigne de mon visage. Sa main dans mes cheveux est devenue molle. Le membre de Tony ne connaîtra jamais la sensation de ma langue. Je vois basculer son corps en arrière au ralenti. Un bruit mat quand il touche lourdement le parquet. Un geyser de sang gicle de son visage, explosé.

Pendorro hurle. Je l'aperçois balancer les ordis dans mon sac. Le mettre en bandoulière et se jeter à travers la fenêtre, tandis qu'au même moment, à l'autre bout de la pièce, la porte d'entrée vole en éclats. Des hommes en noir, cagoulés, gilet pare-balles, revolver à la main. Je me sens glisser lentement sur le sol. C'est fini ! L'adrénaline retombe d'un coup. Je suis dans le coton, les yeux dans le vague, de la ouate, c'est bon. Je suis vivante... Ils ne m'ont pas touchée. Je peux me laisser aller. Partir... dormir...

Une claque... puis deux. Et le visage d'une femme devant mes yeux :

— Madame ? Vous m'entendez, madame ? C'est fini... Nous sommes là, c'est la police, madame. Vous n'avez plus rien à craindre.

Elle me fait chier à me secouer, celle-là ! Je voudrais lui dire que je n'ai rien, que la « madame » n'a même pas mal, mais aucun son ne sort. Torrent lacrymal. Je ne me contrôle plus.

— Calmez-vous, madame, les pompiers arrivent. C'est fini, madame. Ils vont vous prendre en charge.

— Inutile, je n'ai rien... Tout va bien.

Pourquoi est-ce que ma voix chevrote ? Pourquoi ces hoquets, ces larmes... Je n'ai rien. Annabelle, tu es vivante et ils ne t'ont rien fait. Arrête ! Ressaisis-toi !

Je suis assise sur le parquet de la pièce rouge. Je pleure comme une madeleine. Impossible de me contrôler ! Mes nerfs sont en train de lâcher.

Un homme s'agenouille. C'est Paoli. Il me dévisage, puis m'entoure de ses bras, un geste tendre qui a pour effet de redoubler mes sanglots. Je pleure maintenant sans retenue, dans le creux de son épaule.

Une radio se met à cracher. Un récit de poursuite. Électrochoc, je reprends immédiatement pied. J'arrête de pleurnicher. Mon cerveau se remet à fonctionner. Il capte pêle-mêle tous les commentaires des flics. Je me dégage de l'étreinte de Paoli. Lui se redresse et retrouve son ton de commandement.

— Ils en sont où?

La voix étouffée par sa cagoule, un grand type muni d'un gilet stické BRI lui répond:

— Quand on a déboulé dans la pièce, l'individu venait de se défenestrer. Pas le temps de tirer. Chute de deux étages amortie par un capot. Un véhicule est arrivé en trombe. Un guetteur en faction, sans doute. On n'a pas pu ajuster. Sur le trottoir, il y avait une femme avec deux enfants.

Un guetteur? Je fais tout de suite le lien avec la sonnerie du téléphone de Pendorro. À tous les coups, il a fait son boulot et a tenté de les avertir de l'arrivée des flics. Le Rambo poursuit son rapport au patron de la crim.

— Les deux individus se sont enfuis par la rue donnant sur l'arrière de l'immeuble, au moment où la première Bac déboulait. Course-poursuite dans les ruelles du Panier. Deux touristes renversés, mais pas par des gars de chez nous.

— Espérons.

Plutôt laconique, Paoli. Il doit penser à la paperasse qu'il va devoir se taper. Sans parler de l'enquête automatique de l'IGPN, puisqu'il y a eu mort d'homme.

— On en est là. La traque est en cours.

Précision inutile, c'est la panique sur les ondes hertziennes. Ça n'arrête pas, les équipages lancés à la poursuite d'une Porsche Cayenne blanche commentent en direct live. Le chauffeur parvient à sortir du Panier en évitant tour à tour un tramway rue de la République et le petit train touristique. Ce qui n'est pas le cas d'une des voitures de police. Fracas de tôle, hurlements, un wagon renversé, de toute évidence des blessés. Le Cayenne débouche sur le boulevard des Dames… Alors que, pour une fois, je suis au cœur de l'action, au lieu de consigner les infos j'écoute, passive… Un bon mot me traverse même l'esprit : marrant, des truands qui roulent en Porsche Cayenne ! La nostalgie du bagne, sans doute… Et même pas de quoi noter !

— Ils sont faits comme des rats. Pris en tenaille. On a deux voitures qui remontent le boulevard, une qui le descend.

À la radio, les messages se chevauchent, l'excitation est perceptible.

— Bac 110 Alpha à autorité ! On nous tire dessus au pistolet-mitrailleur !

— D'autorité à poursuite, Bac nord Alpha arrive par la porte d'Aix. Bac centre Bravo par la République. Précautions d'usage.

— À tous les coups, Draco est descendu dans le PC radio de notre opération. Il doit être dans le dos du chef de quart qui supervise, parce qu'il soigne son langage.

La voix de Paoli est posée. Ce n'est pas lui qui a la responsabilité de l'interception. Il s'est parlé à lui-même. Je sais que Draco est le nom de code du DDSP adjoint. Le numéro 2 de la Sécurité publique.

— De Bac 110 Alpha à autorité. On l'a eu. Pneu arrière droit crevé… Véhicule fonce vers la station-service du boulevard des Dames.

— Ils n'ont plus aucune chance de leur échapper. Les stups ont des locaux secrets qui donnent juste là, au 2.

Paoli, une nouvelle fois, ne s'est adressé à personne en particulier. Comme pour corroborer ses dires, en simultané à la radio, le condé qui commente la course-poursuite annonce la survenue de plusieurs collègues à pied. Le Cayenne a violemment stoppé sa course contre une des pompes à essence, provoquant le déclenchement des airbags. Pendorro explose le sien d'une balle et sort.

— De Bac 110 Alpha à autorité. On tire pas ! On tire pas ! Fuite d'essence sous la pompe !

Toujours assise sur le parquet, j'oublie le corps ensanglanté de Tony. Sa cervelle gluante répandue sur le sol. La mienne fonctionne et visualise la scène qui se joue à trois cents mètres de là. Les voitures de police en arc de cercle autour de la station. À couvert sur le trottoir, des flics armés. Les équipages des Bac, auxquels s'ajoutent maintenant les gars de la BRI arrivés en renfort, échangent en continu, via leurs radios respectives…

— De TN 13 : silence sur les ondes ! Un peu de discipline. Un seul véhicule au rapport.

La cacophonie sur la bande-son s'interrompt instantanément. En retrait, des sirènes de pompiers. La caserne du boulevard de Strasbourg est toute proche. Il faut dire que la situation est… explosive. Quel humour, Annabelle !

— De Bac 110 Alpha à autorité… Faites gaffe, individu sort armé. Je répète : il est armé. Complice coincé à l'intérieur du véhicule.

Pendorro s'adresse à ses poursuivants. Je reconnais sa voix rauque et éraillée. Elle est lointaine. Un des flics a dû poser un talkie sur le toit de sa voiture afin que les patrons ne ratent rien.

— Alors, les fiottes ? On a les foies ? Pour moi, c'est fini. J'ai plus rien à perdre ! Et j'ai pas l'intention de retourner faire la gonzesse au gnouf…

Puis un silence de mort. Un seul flic décrit la scène. J'imagine le « narrateur », jumelles en mains. Sa voix est monocorde, comme détachée du drame qui se joue devant lui :

— De Bac 110 Alpha à autorité. Suspect armé vient d'allumer une cigarette.

Dans la radio, le bruit d'une détonation, suivi quelques secondes plus tard par une violente déflagration.

— De Bac 110 Alpha à autorité. Suspect s'est tiré une balle dans la tête. Station-service en flammes ! Impossible de s'approcher de la voiture. Putain, y a son complice en train de brûler vif à l'intérieur…

— De TN 13… Tout le monde reste à sa place. Interdiction d'intervenir avant l'arrivée des secours.

Concert de sirènes… Les radios se remettent à cracher. Les messages les plus nombreux proviennent maintenant de la fréquence utilisée par les pompiers. Ça a l'air d'être l'enfer, là-bas. À l'inverse d'ici, où les super-flics en treillis noir ont disparu, laissant la place aux gants blancs de la police scientifique. Le légiste et les photographes s'occupent de Tony, pendant que les techniciens passent la pièce au peigne fin à la recherche des moindres indices. Il ne fait aucun doute qu'ils vont trouver mes empreintes un peu partout… Je suis debout. J'ai remis mon jean et mes boots.

— Venez, Annabelle, on s'en va. Je vais prendre votre déposition. Le casque et les gants, c'est à vous ? Ne les oubliez pas, on va mettre l'appartement sous scellés. Vous ne pourrez plus y revenir.

Le ton n'est ni amical ni agressif. Totalement neutre. Le vouvoiement signifie que la procédure administrative est enclenchée. À pied, le trajet jusqu'à l'hôtel de police nous prend cinq minutes à peine. Il ne décroche pas un mot.

Moi non plus. Autant par pudeur que par précaution car nous ne sommes pas seuls. Deux fonctionnaires en uniforme nous ont emboîté le pas.

Décidément, je n'aime pas l'Évêché. Ce bâtiment est moche, fonctionnel, sans âme. Une fois traversé la cour, curieusement, Paoli ne se dirige pas vers l'ascenseur qui mène à son bureau. Il ouvre une porte sans signe distinctif. La pièce est glauque. Deux chaises. Un vieil ordinateur. Une table. Il ne prend pas la peine d'en faire le tour pour s'installer face à moi. Pose le coin d'une fesse dessus et m'indique la chaise. Il me domine. C'est voulu. Mais ça ne m'impressionne pas. J'entends dans mon dos la porte se refermer.

— Qu'est-ce que tu foutais là-bas?

Il est revenu au tutoiement. Pas besoin de jeter un coup d'œil derrière mon épaule, nous sommes seuls!

— J'avais posté une équipe en surveillance dans l'immeuble d'en face. Il y avait un sniper au cas où. Je ne comprends pas ce qu'ils ont foutu. Ils n'ont vu personne entrer. L'alerte n'a été donnée que lorsque tu as jailli de la salle de bains. Le temps qu'on arrive... Tu connais la suite.

— J'avais pénétré dans l'appart cinq minutes avant eux.

J'ai intérêt à rester sur mes gardes et à mentir avec aplomb, parce que, toute victime que je suis, Paoli ne fera pas de cadeau s'il sent que je le mène en bateau.

— Tu avais la clé?

— Non... enfin, si. Je me suis souvenue que Pierre la mettait sous une marche quand il partait courir. Elle s'y trouvait. Je suis entrée comme ça, sans but précis. J'avais mon ordi, alors je me suis dit que j'allais rédiger mon papier ici, au calme... La suite, tu la connais.

Rien qu'à cette évocation, une nausée me soulève le cœur et les images me reviennent par flashs. Paoli se tait. Je marque une pause, suffisamment courte pour l'empêcher de reprendre la main.

— Le type avec Pendorro, c'était qui? Pendorro l'appelait Tony.

— Connais pas.

— Arrête, Jean-Louis! J'ai entendu un de tes hommes te dire qu'il avait un badge au nom d'« ASS » dans son portefeuille. Et Pendorro a prononcé le nom de Spignoli comme étant son boss! Tu cherches à couvrir un ex de la maison?

— Un conseil, tu gardes ça pour toi si tu ne veux pas que je me lance dans ton audition officielle dès maintenant et que je te mette en garde à vue vingt-quatre heures minimum! Là, j'ai du boulot par-dessus la tête. Alors tu rentres chez toi. Repose-toi. Reviens demain matin faire ta déposition. Ce n'est pas urgent. On avait placé des caméras et des micros, on a toute la scène enregistrée. D'ailleurs, réfléchis bien à ce que tu vas dire sur la provenance du second ordinateur qu'on aperçoit sous ton bras et que Pendorro a emporté… Et je ne tolérerai aucun détail dans ton journal sur ce que tu as vécu, vu ou entendu. Je te rappelle que tu es un témoin. Je te laisse rentrer chez toi si tu me donnes ta parole que rien ne va filtrer.

— Pas de risque. Je n'ai plus de téléphone. Plus d'ordi. Plus de papiers. Tout était dans mon sac, carbonisé avec Pendorro.

— Tu veux 20 euros pour un taxi? Et que j'appelle un serrurier?

— Non, merci. Les clés de la moto et de la maison sont sur le même trousseau, dans mon blouson.

Je me lève. Il n'a pas bougé. Échange de regards, empreints de fatigue, de colère. De reconnaissance aussi. En passant devant lui pour gagner la porte, je m'arrête, hésite un instant, puis me rapproche et l'embrasse sur la joue.

— Merci, Jean-Louis. Merci…

Je n'attends pas de réponse et sors sans me retourner.

Dehors, le soleil m'éblouit. Plus de lunettes noires non plus… Il fait beau. Grand ciel bleu vif, comme je l'aime. Je ne m'en étais même pas rendu compte ce matin. Sur le trottoir, une silhouette à contre-jour. Je m'avance… Arnaud! Léger moment de flottement. Lequel des deux va prononcer le premier mot ou faire le premier pas? Je ferme les yeux. La ritournelle de Claude-Michel Schönberg m'emporte quand il me prend par les épaules, me serre contre lui. Je bascule légèrement la tête en arrière. J'attends le premier contact avec ses lèvres. Le premier frôlement… un peu de tendresse…

— Tu veux que je te ramène? Le quartier est bouclé, tu ne pourras pas récupérer ta moto.

Énième retour à la réalité. Il n'a rien fait. J'adopte un ton faussement dégagé:

— J'ai besoin d'un remontant… Envie de m'oublier dans l'alcool. Je ne suis pas pressée, mes enfants sont à Paris chez leur père.

— Viens. On va sur ma terrasse. J'ai tout ce qu'il faut là-bas pour soigner ce que tu as!

Saveurs du soir, espoir…

13
Des aveux

France Info, il est 6 heures. À Marseille, rebondissement dans l'enquête sur la mort de Pierre Saint-Gilles... Dans la nuit, le procureur de la République a déclaré qu'un « grand pas en avant » était franchi. Une course-poursuite spectaculaire dans les rues de la ville entre la police et des individus suspectés dans cette affaire a fait trois morts, un docker fiché au grand banditisme et deux complices employés par une société de sécurité. Le patron d'ASS est actuellement entendu par les enquêteurs. Retour sur ces événements à Marseille avec un de nos correspondants permanents...

Je suis étendue sur le Starck. Le radio-réveil vient de se déclencher. Manifestement, ça ne suffit pas à tirer Arnaud de son sommeil. Il est allongé sur le dos, vêtu de son seul caleçon. Moi, je suis habillée. Mon jean et le pull en cashmere qu'il m'a prêté hier soir. À vrai dire, je ne me souviens plus de grand-chose. Quelques bribes, je me revois une coupe à la main, le magnum de Cristal Roederer, la discussion qui s'engage, la pression qui retombe… « Muse » en fond sonore… Puis le trou noir.

J'ai une faim de loup mais pas mal à la tête. Pas de gueule de bois, jamais avec le champagne. Arnaud dort profondément. La voix aiguë qui sort du poste n'a pas l'air de le perturber outre mesure. C'est bien un homme ! Ce qu'un coup d'œil insistant me confirme. Son torse est imberbe. À l'inverse de ses bras et de ses cuisses, poilus mais pas trop. Juste comme j'aime. Un bémol toutefois, la coupe de son slip. Après les lunettes de soleil éternellement vissées dans les cheveux, il fait partie des adeptes du « moule-bite » que j'exècre. J'en perçois bien la raison. Monsieur doit être fier de son corps. Pas de poignées d'amour à dissimuler. Ses muscles sont fins et tout en longueur. Des tablettes de chocolat en guise d'abdos, alors même qu'il est au repos. Et si je le réveillais avec une caresse ? Juste le toucher, l'effleurer, connaître le grain de sa peau… J'approche ma main. Deux mille dix années de morale judéo-chrétienne m'empêchent d'accomplir ce geste. Je me lève. Fais du bruit, exprès… J'ai envie d'un café.

Arnaud sursaute, met quelques instants à reprendre ses esprits :

— Salut, ça va ? Euh… tu descends ? Quand tu as fini dans la salle de bains, tu m'appelles. Il y a des brosses à dents neuves dans un tiroir.

J'ai compris. Je le laisse émerger tranquille. Encore un qui veut qu'on lui fiche la paix. Mais je dois reconnaître que, dans la catégorie « homme au réveil », il y a pire. Au moins son haleine n'est pas chargée. La salle de bains, je l'ai découverte hier soir. La kitchenette aussi, d'ailleurs. Elles sont planquées derrière une cloison que je n'avais pas remarquée lors de mon premier passage. En arrivant, j'ai tout de suite voulu prendre une douche. Pour me laver des mains de Pendorro. J'ai laissé l'eau ruisseler longtemps, pour qu'elle emporte ses miasmes dans les égouts. Je me suis savonnée, frictionnée avec vigueur, colère même. Je n'ai pas remis ma culotte. Mon soutien-gorge et le T-shirt, qu'il n'avait pourtant pas touchés, non plus. J'ai enfilé le peignoir qui pendait sur une patère. Arnaud m'a passé un pull. Mais je n'ai pas eu d'autre choix que de remettre mon jean, non sans dégoût… La tête que j'ai ! S'il y a bien un matin où j'aurais besoin de produits de camouflage, c'est aujourd'hui ! Mais pas la moindre Terre de soleil en vue.

— J'ai fini, à toi ! Je fais du café et on s'y met.

Dans cet environnement high-tech, surprise : pas de Nespresso. Ni même une simple cafetière. Juste une bouilloire… et un pot de Nescafé soluble. Bleu, en plus : du déca. Et pour tout croissant, du pain azyme. Pas de beurre, pas de confiture. Je suis tombée sur un ascète. Un moine hacker.

— Oh, Narcisse, tu n'as rien d'autre ?

— Non. Et les bars en bas n'ouvrent qu'à 8 heures. Il faudra tenir jusque-là.

Ce type est quand même étonnant ! Son café est dégueu, mais il le sert dans des tasses Hermès décorées du toucan. Ici, tout fonctionne à l'unité : une tasse à café, une à thé. Idem pour la cuillère, la fourchette et le couteau. Une pièce de chaque, en vermeil… Ça me rappelle qu'hier soir nos verres étaient dépareillés. J'avais une coupe à la main, lui un ballon. Les deux en cristal.

— Au fait, ça ne t'a pas dérangé que je dorme ici ?

— Non, pourquoi ?

— Pour rien… On se remet au travail ? On cible les Vouvray ? Apparemment, nous sommes les seuls à savoir qu'ils sont au cœur de l'affaire. Saint-Gilles les désignait dans l'article qu'il préparait. Tu sais, ce que j'ai lu hier sur son ordi…

— Attends, Anna, pour hier, je voulais te dire…

— Pas Anna, Annabelle, s'il te plaît! Et il n'y a rien à dire. La cuite a eu l'effet escompté, elle a effacé mon disque dur. Je ne me souviens plus de rien… De toute façon, ce n'était que de la peur, de la tension, rien de concret… Un peu grâce à toi. Alors, merci, t'es gentil, on oublie hier… et on repart en commençant par la femme.

Arnaud ne réplique pas. S'installe à la même table que la veille. Je le rejoins, deux tasses d'eau chaude marronnasse à la main. Je lui tends la grande, garde la petite…

Il n'a aucun mal à pénétrer à distance dans le Mac de Catherine. L'ordinateur de « Mme de » est allumé, session ouverte, relié à Internet par une connexion filaire. Prendre la main est pour lui un jeu d'enfant. Détail étrange, le bureau est vide, à l'exception d'un document, un seul, qui trône au centre, bien en évidence. Son intitulé est explicite : « *It's my life.* »

— Quitte à piquer un titre, j'espère qu'elle va nous décrire une vie à la Bon Jovi qui la croque à pleines dents, plutôt que celle de Shirley Bassey, la pleureuse accro à la dope! Tu me diras, si c'était Bassey, le titre aurait été « *This is my life* »…

C'est reparti, il ne peut s'empêcher d'étaler son savoir. À croire que son cerveau télécharge tout ce qu'il lit ou voit. Ça me rappelle ce colloque sur la mémoire photographique auquel j'ai assisté il y a quelques semaines. En interview, l'un des intervenants m'a cité le cas d'un journaliste d'Europe 1 qu'il avait soigné dans le passé. Je le connaissais de nom, une des stars de l'antenne. Il retenait tout! Sans effort. Il avait fait ses études de droit sans avoir jamais assisté à un seul cours. Il lui suffisait de lire les polycopiés la veille des examens. Il était devenu grand maître aux échecs après avoir mémorisé des milliers de parties dans des traités spécialisés. Il se rappelait l'emplacement où était garée sa voiture une semaine, un mois, un an plus tôt. Et puis un jour, saturé d'informations, son cerveau avait buggé! Pour éviter qu'il ne sombre dans la folie, il avait fallu l'hospitaliser d'urgence et lui imposer une longue cure de sommeil. Aujourd'hui, il est tiré d'affaire, habite Marseille et écrit des polars... Arnaud est peut-être atteint de ce syndrome?

« *It's my life.* » L'icône barrée du W s'ouvre. Soulagement, c'est écrit en français. On s'imagine toujours que les journalistes sont bilingues, voire trilingues. C'est rarement le cas. Comme pour Iseult, Arnaud a transféré le texte sur ses propres machines, mais il se refuse toujours à l'enregistrer. Il n'ira pas plus loin dans la violation de son code d'éthique. Il a quand même vérifié au passage que le document ne contenait pas de virus et a eu la délicatesse de l'afficher sur deux écrans. Sans m'attendre, il s'est plongé dedans, jongle avec sa souris. Je vois les paragraphes défiler devant ses yeux. Il lit en diagonale, à toute vitesse...

— Ça sera rapide, sa vie se résume à trente pages!

— Si c'est de la même trempe que le récit de son rendez-vous avec Pierre, ça s'annonce chaud!

Trente pages? Trop court pour un livre. Une ébauche, peut-être? Un journal intime? Une explication pour son mari?

Sa vie, telle qu'elle l'expose dans ce texte, commence à vingt-trois ans. Catherine passe ses nuits Chez Castel... au comptoir. Son métier: hôtesse, barmaid, jet-setteuse. Mots plus délicats qu'entraîneuse, sans doute son véritable emploi. Elle ne précise pas comment elle a atterri dans la célèbre boîte parisienne. En revanche, elle reconnaît l'argent facile, les amants du matin – elle rentre chez elle après la fermeture – quand « Paris s'éveille ». Son texte est émaillé de références, de clins d'œil à la lecture, la peinture, la musique, le cinéma. Le style est vif. Des phrases concises. Elle est plaisante à lire. Une nouvelle fois, comme dans le récit de sa première avec Pierre, elle se met en scène à la troisième personne. Une figure de rhétorique bien pratique, qui permet souvent d'avouer… l'inavouable. Certains passages, comme la rencontre qui va bouleverser sa vie, sont plutôt bien écrits pour une poule de luxe :

> *Elle n'avait fait qu'entrevoir sa silhouette, mais son allure et sa démarche lui avaient hérissé la nuque. En le regardant mieux, elle ne comprenait toujours pas, mais les papillons qui s'agitaient dans son ventre ne mentaient pas. Ses mains plutôt épaisses ne trahissaient pas le virtuose du piano qu'il était. Elle les imaginait prendre un corps, le serrer, le malaxer avec une puissance de terrien qui n'a pas idée de sa force. Sa bouche aux lèvres pleines ne devait pas sourire souvent. C'est ce côté animal, carnassier qui l'attirait, même si elle sentait qu'il essayait de le cacher derrière une façade urbaine et policée.*

L'homme qui a capté son attention s'appelle Jacques-Paul Villorgieux. Il devait approcher la quarantaine à l'époque. C'est aujourd'hui une des stars de la cuisine française, d'où sa fine référence au piano.

— Arnaud, tu peux me trouver la photo de Villorgieux sur le Net ? Le chef étoilé…

En quelques secondes, une galerie de portraits de ce maître queux – jeu de mots facile, mais qui me vient naturellement à l'esprit – apparaît sur un écran tactile placé entre nos deux postes de travail. La plupart des clichés illustrent de vieux articles de presse. Les critiques gastronomiques des principaux hebdomadaires français posent – ce qui est fréquent dans cette catégorie très particulière de notre profession – aux côtés du « Vatel du XXIe siècle », comme n'a pas hésité à l'écrire un de ces hommes de bouche. Une comparaison due au souci du détail qui, selon mon confrère, hante ces deux hommes que quatre siècles séparent. Sauf que le favori de Louis XIV, lui, en est mort. Suicidé parce que la marée n'arrivait pas à temps lors d'un banquet donné en l'honneur du roi. Un plat parmi des dizaines d'autres, mais pour Vatel l'harmonie était rompue : insoutenable ! Le journaliste « historien » se limite à l'allusion sans rappeler l'anecdote, ce qui a dû obliger ses lecteurs à faire des recherches. Les plus curieux, en fouillant un peu, auront donc appris que les poissons manquants ne furent que le catalyseur de ce hara-kiri.

Quand je pense que ces types, dont le boulot consiste à bouffer à l'œil, ont la même carte de presse que moi ! J'en aurais presque l'appétit coupé... Certes, les critiques de cinéma ou de théâtre ne paient pas non plus pour voir un film ou une pièce. Mais le prix d'une place n'a rien à voir avec l'addition salée d'un restaurant toqué. Sans parler de la combine qui consiste à demander de fausses additions que nos « chers collègues » s'empressent de se faire rembourser. Un revenu non négligeable pour les stakhanovistes de la fraude, si l'on considère que les notes des établissements qu'ils fréquentent dépassent souvent les 100 euros par repas. Comme il s'agit de frais, c'est net d'impôt... C'est ce type de comportement qui mine la réputation de notre profession, sur l'air bien connu de « Tous pourris ».

Et encore, si le grand public savait… Certaines spécialistes des fringues dans les hebdos féminins se font livrer sans vergogne des collections entières à leur taille. Ceux qui testent les voyages partent en vacances au bout du monde, gratis et en famille… Les chroniqueurs voitures et motos gardent celles qu'ils essayent… Non, là, j'exagère ! Quoique… Les constructeurs leur font des remises de 10 % quand ils en achètent une et ne leur facturent jamais les options…

Parmi les articles de presse sur Villorgieux pêchés par Google, un des titres est encore plus grotesque : « Le beau gosse de la nouvelle cuisine. » Tu parles d'une info ! Comme si on allait dans un deux étoiles pour la gueule du gars qui est aux fourneaux. Il est vrai que le confrère qui s'est lâché est un homo notoire. Cela dit, objectivement et en portant un regard féminin aussi neutre que possible, Villorgieux a quelque chose. L'une des rares photos où il pose seul, et qui ne soit pas prise dans la salle de son restaurant, est signée Studio Harcourt. Preuve que son ego commençait à être un tantinet surdimensionné, puisqu'il a fait la démarche de s'y rendre. Brun, coupe au carré, cheveux fins et lisses, raie au milieu, sourcils arqués, nez droit, lèvres bien dessinées… Une autorité naturelle émane de ce visage au regard franc. Du moins, devant l'objectif.

Retour à l'autobiographie. Curieusement, j'ai l'impression de lire le récit de ma propre rencontre avec Pierre. C'est le négatif d'un même ektachrome. Il y a eu un avant et un après. Jusqu'à cet instant, qu'elle décrit, de transe charnelle qui la parcourt, cette attirance qui s'impose comme une évidence. Catherine était une femme libre. Quelques lignes, toujours à la troisième personne, permettent de cerner son profil psychologique de l'époque. Avant Villorgieux :

Elle est intraitable avec ses amants, surtout s'ils ont la faiblesse de tomber amoureux d'elle. Si elle se donne parfois sur un coup de tête, c'est une fois, une seule.

Elle aurait pu citer Gainsbourg : « Sensuelle et sans suite »...

Un seul leitmotiv: garder le contrôle de ses sentiments, de ses émotions. Ne jamais abandonner la moindre parcelle de liberté.

Et puis un jour, cette digue se rompt. Un homme parvient à percer cette carapace, à nous dépouiller de toutes nos défenses, à nous soumettre, nous dominer. Quand il n'est pas là ou retenu par d'autres occupations, ou par son autre vie, on étouffe. « Je t'ai dans la peau », chantait Piaf. La partie la plus intéressante de son répertoire reste cette succession de déclarations à Marcel, le boxeur emblématique, aux antipodes des amis et des milieux culturels qu'elle fréquentait alors. Ce qu'a dû vivre Catherine avec Villorgieux. Et moi avec Pierre... Certains appellent ça la passion. Le mot est trop faible. Presque aussi réducteur que l'amour ! Alors que ces états relèvent d'une foultitude de sentiments complexes, souvent antagonistes, toujours ravageurs. « En avoir un dans la peau, c'est le pire des maux », chantait encore la Môme...

Quand elle tombe sous son emprise, il est marié, a deux enfants. C'est un cuisinier déjà reconnu, mais pas encore à son compte. Un salarié bien payé qui assure, sans grande créativité. Il fait partie des habitués de Chez Castel. Chaque soir, du mardi au samedi après la fermeture du restaurant, il vient évacuer son stress dans un verre de malt. Leur premier rapport sera fusionnel. Je sais déjà que la suite du récit va aller crescendo. Assis à mes côtés, Arnaud surfe sur sa bécane, me laisse tranquille et c'est tant mieux.

Les amants s'offrent chaque jour des 5 à 7 et de 15 à 17, puis passent une partie de la nuit ensemble à refaire le monde, lui attablé au comptoir, elle derrière. Pour celle qui est devenue sa muse, il va abandonner la sécurité, se lancer, acheter son premier restaurant. Surtout, il va innover en cuisine, créer. La reconnaissance du public vient rapidement. Il est dans une phase ascendante, tout lui réussit. Si elle est sa muse, il est son Pygmalion. Le corollaire à cette suractivité aboutit en effet, chez lui, à un besoin de débauche psychologique et physique intense. Il va la façonner à l'image qu'il se fait d'une maîtresse idéale.

À ce stade, brusquement, le récit bascule. Une plongée en eaux troubles dans l'imaginaire de Pauline Réage, l'auteur d'*Histoire d'O*, aujourd'hui totalement oubliée. C'est elle pourtant qui, au sortir de la guerre, signa ce roman sous pseudo. Malgré un prix littéraire, il connut un piètre succès d'édition. Son handicap majeur fut incontestablement d'avoir été écrit par une femme. Les esthètes découvraient, abasourdis, que le sexe faible pouvait lui aussi avoir des désirs inavouables car moralement incorrects. Vingt ans plus tard, avec le film culte de Just Jaeckin, cela confinera à l'évidence. Au passage, je comprends que le cercle rouge tatoué au bas des reins de Mme de Vouvray est une référence explicite au film cul... te de l'année 1975, qui désinhiba toute une génération. Pour preuve, *Histoire d'O*, comme *Emmanuelle* du même réalisateur, resta à l'affiche plusieurs années sur les Champs-Élysées.

Le texte de Catherine laisse entrevoir une relation moins sadomaso sur le plan sexuel, mais plus forte au niveau de la dépendance. Villorgieux a des fantasmes, elle n'en rejette aucun par principe. Les deux vidéos réalisées par Pierre se superposent à ma lecture. Elle l'a bien manipulé au cours du pseudo-interrogatoire qu'il lui a fait subir dans la première. Ses hésitations étaient calculées pour l'exciter, lui faire croire qu'il allait lui faire découvrir la vie. Bonjour la sainte-nitouche, la bourgeoise rangée, femme et mère de famille exemplaire!

Ces vidéos n'existent plus que dans mon souvenir. Arnaud ne les verra jamais, depuis que l'ordinateur a fini carbonisé dans le Cayenne. Comme j'aimerais que les images de leurs ébats défilent sur un des écrans géants de la salle pendant que nous lisons son mémo! La charge érotique du texte associée à cette vision aurait pu servir de catalyseur pour nous inciter à passer enfin à l'acte... Mais il ne me calcule pas. Mon usine à fantasmes est lancée, parce que je sais comment cette femme réagit pendant l'amour, ce qui n'est pas le cas d'Arnaud. J'ai envie qu'il me prenne, là, tout de suite... Pour effacer définitivement la scène d'hier. Soigner le mal... par le mâle. Nous venons de passer de longues heures ensemble et il n'a rien tenté. Il attend quoi?

Bouffée de chaleur... Je ferme un instant les yeux. C'est pire encore! Il faut que je me concentre sur ma lecture. Sinon? Sinon rien! Sans être une mijaurée, je suis incapable de lui faire une avance directe. Quand un homme m'entreprend – à condition qu'il me plaise, bien sûr –, je ne résiste que le temps de le connaître un minimum, de tester le personnage... Mais je n'arrive pas à inverser les rôles. Quand j'entrevois le début d'une aventure, que je suis séduite, je ne fais jamais le premier pas, par crainte d'une fin de non-recevoir. Je préfère rester dans une position d'attente... qui peut durer indéfiniment!

Retour au texte, par défaut. Au passage, une nouvelle association d'idées. Catherine, née en 1969, « année érotique » selon Gainsbourg, fin connaisseur en la matière, était prédestinée au culte d'Éros. Pensée totalement con, mais ça me fait sourire. Mes yeux doivent pétiller, mais l'autre ne me regarde toujours pas.

Dix ans ! Ils ont connu dix années de passion physique, professionnelle, intellectuelle. Vraisemblablement dans l'ordre inverse, d'ailleurs, car ce sont deux cérébraux. Il n'a pas quitté sa femme, bien sûr. Et elle est restée Chez Castel. Il veut plus, toujours plus. Elle l'encourage, le pousse… Il vise la deuxième étoile, mais cela doit passer par un établissement plus huppé. Un superbe hôtel particulier haussmannien est à vendre dans le triangle d'or parisien. Elle le convainc de l'acheter. C'est elle qui trouve le nom : Tuber Magnatum, référence à la fameuse truffe blanche et aux spécialités de terroir revisitées par le chef. Mais surtout en souvenir de la mère de Villorgieux, une Italienne née dans la région d'Alba.

Nouveau succès, triomphe même. Moins d'un an après l'ouverture, il décroche la seconde étoile. Ils sont au firmament. C'est pourtant le début de la fin. Le syndrome de la roche Tarpéienne. Couvert de dettes, il ne parvient plus à faire face. Les banquiers, les créanciers l'assiègent. Villorgieux est devenu un artiste. À ce titre, il n'entend plus faire la moindre concession à ce qu'il appelle son « œuvre ». Il travaille des denrées recherchées. La truffe et le caviar sont ses deux produits phares. Catherine est extatique sur les œufs d'esturgeons dont il la gave :

La sensation douce et salée de l'œuf qui explose sur la langue d'une simple pression contre le palais… Les quelques gouttes sont si liquoreuses que je les garde en bouche pour en exprimer toutes les sensations. Ensuite seulement, j'avale.

La quête du goût reste pour lui l'élément déterminant. Après tout, l'allusion à Vatel n'était peut-être pas si idiote… Il refuse de diminuer les portions au profit de l'esthétique. Résultat paradoxal, plus il a de clients, plus il perd d'argent. Ce n'est plus un whisky qu'il prend chaque soir, mais cinq. Engrenage infernal. Il est en train de tout perdre et, par là même, de les perdre.

Catherine ne reste pas inactive. Elle tente d'empêcher le naufrage. De par son métier, elle fréquente le gotha, cherche à convaincre des investisseurs de mettre des billes dans l'affaire. Use de tous ses atouts, et ils sont nombreux. Le plus efficace est totalement anachronique. À la différence des autres femmes qui travaillent dans sa boîte de nuit, elle n'a pas la réputation d'être une fille facile. Elle éconduit ses nombreux prétendants avec un réel savoir-faire. Rares sont ceux qui se sentent humiliés par le râteau qu'ils se prennent après une cour assidue. Sa botte secrète : le baiser langoureux, comme ceux des films américains des années 1950. Summum de l'érotisme d'une société frigide qui connaîtra la libération des mœurs deux décennies plus tard, à Woodstock.

Catherine reconnaît qu'elle embrasse beaucoup d'hommes – des femmes aussi, parfois –, mais affirme ne jamais aller plus loin. Cet acte, pour elle, n'a aucune connotation sexuelle. Elle ne se cache pas. Embrasse naturellement sur la bouche les gens qu'elle aime… bien. Pour être sûre de se faire comprendre, elle illustre cette conception originale des rapports humains par une anecdote. Il lui est arrivé, raconte-t-elle, d'être surprise en train de bécoter un juge marié à une de ses amies. Elle tombe des nues quand, au cours du déjeuner hebdomadaire entre copines, cette dernière la traite devant les autres de salope et d'allumeuse. La scène lui inspire ce commentaire :

> *L'énervement d'Hillary Clinton était dû à la ménopause. Pour son mari, me fréquenter était la seule barrière contre la dépression guettant tout homme contraint de vivre avec une momie.*

Je suppose que l'« amie » en question était blonde et plus âgée qu'elle ! Elle ne précise pas ce que sont devenues leurs relations après cet épisode. Ni avec le magistrat, d'ailleurs. Dommage… Une chose est sûre, Catherine a fait sienne l'expression fameuse « sucer n'est pas tromper », dans sa version minimaliste puisqu'elle ne lèche que les lèvres, le cou, la langue. Durant dix ans, à la lire, elle n'a pas eu la moindre aventure. Villorgieux a été son seul homme. Si bien que, dans le microcosme des nuits parisiennes qui érige la vertu en valeur suprême, elle a une réputation flatteuse. Personne ne soupçonne sa vie cachée et intense avec le « Master chef ». Jamais ce couple adultère ne s'est coupé en public. Jamais il n'a été pris en défaut ou surpris. Conséquence : lorsqu'elle jette son dévolu sur Vouvray, ce dernier n'a aucune chance de lui échapper.

Plus jeune qu'elle de quatre ans, cet aristocrate descend d'une famille de banquiers. Célibataire, fils unique, héritier désigné, il n'a pas encore trente ans et siège déjà dans plusieurs conseils d'administration du Cac 40 réservés aux membres du Who's Who. Après un passage obligé par l'Ena, il poursuit au Quai d'Orsay une carrière honorable que des amis de son père supervisent en coulisses. Alors, parce qu'il y a urgence, Catherine va

« droit au but ». Emploie-t-elle cette expression chère aux supporters marseillais à dessein ou par pur hasard ? Son texte est-il bourré de private jokes ou à prendre au premier degré ? Le passage sur le caviar, cette devise de l'OM glissée l'air de rien… Clin d'œil à un juge… ami ? Il faudra que je relise en prenant mon temps !

Concernant Vouvray, je suis certaine que c'est elle qui le drague. Elle qui provoque le premier baiser dans une salle de cinéma, puis l'invite à monter dans son appartement. Elle qui, après un strip-tease, lui sort la queue du pantalon et le suce. Elle qui, parce qu'il a joui en quelques secondes, le félicite de cet exploit, reprend sa besogne et le chevauche quand il est de nouveau raide. Elle qui crie quand il jouit pour la seconde fois de cette nuit qui restera mémorable… pour lui.

La narration pudique, trop pudique pour le coup, s'arrête au moment où elle l'invite à monter boire le fameux « dernier verre du soir ». Nouvelle rime facile avec « espoir »… Mais je n'ai aucun mal à imaginer la suite. Quoi qu'il en soit, c'est indéniable, Vouvray vient de trouver la femme de sa vie. Il la demande en mariage. L'impose à sa famille, qui aurait préféré le voir épouser une « pute du *Bottin mondain* », entre guillemets dans le texte. Petit à petit, cet homme se révèle. Il est brillant, courageux puisqu'il a tenu tête à sa mère pour épouser Catherine. En somme, dans le portrait qu'elle dresse, il apparaît assez peu conformiste.

Pour le tatouage en bas du dos, elle s'invente une époque mystique. Un retour d'Égypte et un hommage à Amenhotep IV, d'où ce disque solaire. Plus c'est gros, plus ça passe. Mais elle a l'intelligence de citer le nom exact du pharaon et pas celui d'Akhenaton, que l'Histoire pour les nuls a retenu, ce qui crédibilise son propos… Vouvray a aussi de la culture.

Elle a dû lui avouer Villorgieux car, en guise de cadeau de mariage, il solde une partie des dettes du cuisinier – au prétexte qu'elle a été associée aux débuts de l'aventure capitalistique du chef – et obtient de sa banque un rééchelonnement des créances restantes. Vouvray est un seigneur, mais aussi, plus surprenant, un mâle dominant. Catherine désormais lui appartient. Pour que ce soit clair, il impose que les agapes, après la cérémonie républicaine, aient lieu chez Tuber Magnatum. Il a privatisé le restaurant le temps du déjeuner. À la fin du repas, il fait venir le chef pour le remercier. Il est particulièrement hautain, pédant, insupportable. Lui tapote la joue, embrasse goulûment la mariée devant son ex. Un long patin avec la langue qui n'est pas dans ses habitudes, surtout en public. Villorgieux, comme toute la salle, applaudit. Il est déférent, limite obséquieux. Catherine, qui s'est vendue pour le sauver, est mortifiée. Elle prend conscience à cet instant que le restaurant est définitivement passé au premier plan. Qu'il a tourné la page d'un amour qu'il avait pourtant juré éternel ! La dépression l'assaille.

Vouvray est nommé numéro deux de l'ambassade de France au Japon. Elle doit le rejoindre quelques jours plus tard. La veille du départ, elle fait porter à Villorgieux un billet pour un ultime rendez-vous. Il a coupé son portable. Ne répond pas à la dizaine de SMS enflammés puis éplorés qu'elle lui envoie, tandis qu'elle l'attend dans la suite d'un hôtel. Au bout de cette longue nuit passée seule, elle lui fait porter une lettre… morte. À trente-quatre ans, elle se lance dans une nouvelle vie, s'y jette à cœur et à corps perdus. Donne à Vouvray deux fils en trois ans… Fin du premier chapitre.

Je me tourne vers Arnaud. Il a fini de lire depuis longtemps et pianote comme un malade sur son clavier :

— Elle a tout scratché. J'essaie de récupérer les données de son disque dur. On a sa version, via son texte, mais pas de preuves comme des échanges de mails ou des virements bancaires. Absolument rien pour la corroborer.

— Elle a quand même un côté fleur bleue… Se vendre par amour… Elle me fait penser à ces héroïnes balzaco-flaubertiennes.

— Ouais… Eh bien, lis la suite! Elle va retomber brutalement dans les turpitudes du XXIe siècle.

Après le Japon, retour à Paris. Lui au Quai. Elle, dans les bras de… Villorgieux, un après-midi par semaine. Les soirées mondaines, le tennis, le jogging, les enfants n'ont pas suffi à combler ses journées. Surtout, le milieu dans lequel elle évolue est trop compassé, manque singulièrement de folie. Et puis, Vouvray est souvent absent, en mission à l'étranger.

Catherine s'épanche. Cherche à justifier son retour vers son ex-amant, se trouve des excuses, sans jamais rabaisser ni critiquer son mari. J'ai l'impression de lire une confession. Qui tourne vite à l'acte de contrition car « elle tombe enceinte ». C'est amusant que l'auteur et actrice de ce mélodrame ait choisi cette expression qui rendait ma mère hystérique. « À ton époque, on ne "tombe" pas enceinte par l'opération du Saint-Esprit », me répétait-elle sans cesse. Catherine l'est bel et bien et ce ne peut être de Vouvray, parti trois semaines au pays du Soleil levant, mais revenu quand elle s'en aperçoit. Elle a fauté, au sens biblique du terme. Et elle va le payer très cher.

— Ce n'est pas une salope.

— Pardon?

— Vouvray… Ce n'est pas une salope. Il m'est arrivé la même chose. Un antibiotique qui avait annihilé l'effet de la pilule.

— Sauf que toi, tu n'as pas gardé l'enfant, je suppose !

— Exact, j'ai avorté et personne ne l'a su.

Je viens de lui lâcher mon plus lourd secret d'une traite. Regard vide. Mes yeux, bien que rivés sur l'écran, ne fixent rien. Pas de relance d'Arnaud. Je retourne au texte.

Catherine, elle, a commencé par se confier à son amant. Villorgieux est odieux. Il a sa propre vie avec sa femme et une maîtresse attitrée les quatre autres 15 à 17 de la semaine, ce qu'elle apprend incidemment au cours d'une discussion orageuse. Son restaurant capte le reste de son énergie. Elle n'avait qu'à prendre ses précautions. Ce n'est pas son problème. Don Juan est contrarié. Il lui aurait volontiers conservé sa case du vendredi car, c'est bien connu, « une femme enceinte est meilleure au pieu », fermez les guillemets. Ce doit être au mot près l'expression prononcée par l'homme qu'elle avait alors dans la peau. Il avait raison sur ce point, mais la fine analyse de ce connard machiste lui vaut une gifle à laquelle il répond instantanément puissance dix. Quand elle se relève, leur rupture est définitivement consommée...

— Le salaud, c'est Villorgieux !

— Ça, tu peux le dire. Son chantage est ignoble !

— Quel chantage ? Je te parle de sa paternité.

— Ah, ça... Continue ta lecture, tu ne vas pas être déçue... Au fait, Annabelle, pour ce qui est des données de son ordinateur, il n'y en a aucune. J'aurais dû commencer par vérifier les codes identitaires de sa machine. Figure-toi qu'elle est neuve ! Elle n'a servi qu'à écrire ce texte. On ne trouvera rien d'autre dedans.

Quel intérêt de se procurer un nouvel ordinateur pour y stocker un seul document ? À mon tour de lire en diagonale. Catherine n'a pas pu avorter. Mais l'a-t-elle seulement envisagé? Elle a fait un malaise quelques heures après le coup de poing de Villorgieux, alors qu'elle prenait le thé chez sa belle-mère. Transportée à l'Hôpital américain, elle s'est vu confirmer son état devant « belle-maman » qui s'est fait un plaisir de téléphoner immédiatement la « bonne nouvelle » à son cher fils. Rodolphe est né huit mois plus tard.

La famille est restée trois ans à Paname. Puis Vouvray a abandonné provisoirement le Quai d'Orsay pour être l'œil du gouvernement au sein de la Compagnie du Levant en faillite. Déménagement à Marseille. Maison à l'Estaque, face à la mer mais dos aux cités les plus chaudes des quartiers nord. Deux pages pour raconter une installation difficile – manifestement, le couple a du mal à s'intégrer –, puis retour de Villorgieux à la une. Il lui téléphone sur son portable.

> *Il a besoin de fric. Risque à nouveau de perdre son restaurant. Le même scénario qu'en 2002. Il lui faut du temps pour se refaire. Elle doit convaincre son mari d'intervenir auprès de sa banque. Ce serait même parfait si Vouvray pouvait se porter caution.*

Sidérée, elle raccroche. Il n'a pas changé de numéro. Evol – elle l'avait rentré dans ses contacts dès le premier soir, sous ce pseudo – s'affiche une bonne dizaine de fois au cours de la demi-heure qui suit. Elle ne prend pas ses appels. Elle ne découvrira la menace sur sa messagerie vocale qu'en fin de journée. Encore des guillemets : « Tu le convaincs ou il va savoir pour le dernier. »

— Arnaud, tu peux accéder à son téléphone pour le message enregistré?

— Non! Il n'est relié à aucun ordinateur.

La suite relève d'un scénario de polar improbable. Évidemment qu'elle ne peut rien demander à Maximilien ! Évidemment qu'elle ne veut pas qu'il sache ! Acculée, elle se tourne vers ses anciennes relations. Celles du temps de Castel. Elle prend contact avec un « client » qui venait prélever sa dîme toutes les semaines, un ancien caïd marseillais à la retraite et au vert à Neuilly. Il accepte de régler la question. Au passage, elle devra sceller l'accord avec… son cul ! Fastidieux, avec un vieux de soixante-quatre ans. Gerbant, même ! Dans ce court passage, Catherine est d'un cynisme consommé. Sa désillusion sur la gent masculine transparaît à chaque phrase. Mais il va tenir parole.

Une nuit, le restaurant s'embrase. L'incendie volontaire ne fait aucun doute et les enquêteurs penchent pour une arnaque à l'assurance. Au moment où Villorgieux va tomber, l'enquête conclut miraculeusement à un court-circuit accidentel. La veille au soir, le restaurant était devenu, pour une bouchée de pain, la propriété d'une holding basée dans les îles Caïmans. Les assurances remboursent le nouveau propriétaire. Non seulement Villorgieux a perdu son capital, mais il en prend pour dix ans, par contrat et pour solde de tout compte, comme salarié. Grâce à sa présence, Tuber Magnatum garde ses étoiles…

— Arnaud, toutes les pièces du puzzle commencent à s'imbriquer… On n'a plus qu'à trouver qui se cache derrière la holding qui payait grassement Iseult. J'ai déjà ma petite idée. Je suis convaincue que le retraité n'est autre qu'Orsoni ! Elle est gonflée de décrire sa partie de jambes en l'air comme un calvaire… Orsoni est toujours bel homme. Il s'entretient. Pas un poil de graisse et un regard bleu acier qui hypnotise. En outre, il a un sens de l'humour très développé. Avec son verbe haut en couleur, il a toujours ridiculisé les enquêteurs venus témoigner contre lui à la barre. Je l'avais indiqué dans un compte rendu d'audience, ce qui m'a valu une bouderie de plusieurs semaines de la part des flics.

— On verra plus tard. Pas besoin de se dévoiler maintenant, les flics l'apprendront en examinant la compta de Granny-Smith. Tracfin dispose d'outils impressionnants pour remonter aux sources de la finance occulte.

— Finalement, il y a une morale. L'ordure à l'origine de son calvaire a payé.

— Tout dépend de qui tu considères être le vrai méchant. Finis la lecture.

— Il ne me reste que cinq pages…

— Justement. Catherine, en auteur accompli, a gardé le meilleur pour la fin. Dans le genre « l'épilogue doit scotcher le lecteur », c'est réussi ! Elle donne peu de détails. Son style est de plus en plus télégraphique, comme si elle était pressée d'en finir. Mais alors, bonjour le rebondissement !

J'ai du mal à me replonger dans le texte. Cette lecture de trente pages à peine me pompe une énergie considérable. Peut-être parce que je perçois confusément le dénouement de l'affaire et que je n'ai pas une folle envie d'en connaître les tenants et aboutissants. Ni de découvrir quel rôle Pierre a pu jouer dedans.

— Arnaud, le temps file. Huit heures déjà ! Il faut que je passe chez moi me changer avant d'aller à l'Évêché porter plainte. Tu ne veux pas me résumer la fin ?

— Non, tu l'as dit toi-même. Chacun se fait une idée. On débriefe après. J'ai des SMS sur mon iPhone auxquels je dois absolument répondre.

Je m'y remets. Le « monsieur bons offices » dont elle ne lâche toujours pas le nom estime que Catherine a une dette envers lui. Ce dossier, délicat à gérer, mérite plus qu'une baise en passant. Il a besoin qu'à son tour elle lui rende un service. « Ça tombe bien que vous soyez à Marseille car, justement, le problème rencontré est lié au port. Après nous serons quittes. » Sur ce point au moins, elle peut avoir confiance. Le Milieu marseillo-corse a un code d'honneur très strict.

À la suite de ce message daté de la mi-mai, Catherine se serait rendue à un rendez-vous sur le port, derrière les grilles des bassins Est. Elle décrit le hangar où on l'amène. « On », c'est Lucien Spignoli.

— Spignoli est mouillé dans la combine, Arnaud. J'ai oublié de te le dire, mais dans l'ébauche d'article que j'ai lue hier chez Saint-Gilles, ce dernier mentionnait sa participation au trafic des clandestins, ainsi que celles de Pendorro et Belkacem.

— Il semble qu'il ne se soit trompé pour aucun des trois. Merci quand même de me le signaler. On avait dit qu'on se refilait toutes nos infos…

— Et pour lui, je te l'ai dit tout à l'heure, c'était les Vouvray qui étaient derrière.

— Ça, c'est moins sûr. Termine la lecture des aveux de sa femme.

Je visualise parfaitement le lieu dans l'enceinte portuaire où Spignoli l'a emmenée. Il s'agit d'une des dernières cathédrales industrielles en béton, situées vers la porte 4. Au bout du port, côté Estaque, pratiquement en face de chez elle. Des bâtisses qui devraient être rasées sous peu. Je suis entrée à l'intérieur, une fois, avec des ouvriers de la navale qui cherchaient à démontrer aux journalistes que ces bâtiments avaient la taille requise pour abriter un chantier de grande envergure. Pour avoir la taille, ils l'avaient. En revanche, tout était à refaire. Ils étaient abandonnés depuis des décennies. Des planches, des gravats, de la poussière. Une saleté repoussante. Elle n'a pas dû être empruntée, la Catherine, avec ses chaussures Louboutin ! D'autant qu'elle décrit une scène tout droit sortie d'un roman d'Izzo…

Spignoli l'a conviée à une réunion. Derrière une table faite d'une palette, garnie de caisses en guise de chaises, se tiennent Ange Pendorro et Maurice Bitton. Spignoli, indique-t-elle, est le P-DG de la société ASS (Assistance, Sûreté, Sécurité), Pendorro, un docker, et Bitton, le directeur financier de la Compagnie du Levant. Je n'ai jamais entendu parler de ce Bitton. En revanche, j'ai déjà eu affaire à Spignoli, que j'ai interviewé à plusieurs reprises. L'ex-flic était très fier de sa reconversion. Il avait pour sa boîte des velléités nationales et même internationales. Il se voyait déjà assurer la surveillance d'autres grands ports européens. À la rédaction, on s'était bidonné en l'imaginant tenter de convaincre des anglophones de signer un partenariat avec son ASS*.

Pendorro, inutile de revenir dessus. Sauf pour dire qu'il ressemble physiquement à l'ancien commissaire et que tous deux sont des caricatures : costauds, cheveux courts presque rasés, chemise toujours ouverte sur un poitrail velu afin de mettre en évidence une chaîne en or supportant dans les deux cas une croix du même métal précieux. Pendorro y avait ajouté une carte de Corse et portait au doigt une chevalière frappée de ses initiales. Il faudra un jour que je me penche sur le code vestimentaire marseillais, qui permet de distinguer immédiatement, dans une assemblée, le pêcheur du dealer, l'agent de joueur du docker et le politique du flic.

---

* Cul, en anglais.

Le service que les trois hommes demandent à Catherine est simple : elle doit permettre à un expert informatique d'accéder aux logiciels de la Compagnie du Levant. Bitton, le directeur financier, explique que seuls le président et le directeur général disposent d'« accès open », c'est-à-dire sans système d'alarme immédiat. Ce qui n'est pas son cas, tout DAF qu'il soit. La complicité de la Vouvray leur ferait gagner un temps précieux et doit permettre à l'informaticien de ne pas laisser de traces de l'intrusion. Il n'y a aucun risque pour son mari. Le logiciel introduit frauduleusement concerne la logistique, « pas l'aspect financier ou managérial de l'armement », lui certifie Bitton, avant que Spignoli l'invite à prendre congé. Elle comprend aussitôt pourquoi. Spignoli lui a brutalement ramené les mains dans le dos et la bloque, assise sur sa caisse. Pendorro s'approche, descend sa braguette. Elle hurle qu'elle accepte. C'est suffisant. L'étreinte se relâche, malgré une diatribe de Pendorro qui estime qu'une petite leçon ne lui ferait pas de mal. Qu'elle doit prendre conscience qu'il ne s'agit pas d'un jeu. Qu'ils peuvent aller très loin dans la contrainte. Spignoli ne cède pas et la raccompagne à sa voiture, restée à l'entrée du port sur un des parkings visiteurs.

— Décidément, Pendorro était un vrai malade !

— Ce qui m'étonne, moi, dans ce récit, c'est qu'il a pour unique dessein de la dédouaner de toute la suite. Elle n'avait pas d'autre choix. Les menaces morales et physiques suffisent à faire plier n'importe qui. Sur le papier, ça paraît crédible. Or nous savons tous les deux qu'elle était mouillée.

— Attends. Pour elle, il ne s'agit que d'un trafic de containers de thons, c'est quand même moins grave que des clandestins !

— Évidemment. Sauf que, si elle a pu monter le trafic de thon rouge, c'est qu'elle savait pour les clandestins. Et je te signale que dans ce texte écrit sciemment, elle n'en parle pas. Pas un mot sur son activité à elle ! Alors qu'elle ne se gêne pas pour balancer Iseult et surtout Mathieu de Rostand.

C'est le passage auquel je viens de m'attaquer. Premier détail, elle ment sur leur rencontre. Elle explique que c'est Mathieu qui l'a contactée. Que le couple s'est fait inviter à une réception qu'elle donnait un 14 juillet. Que c'est probablement au cours de cette soirée qu'a été fait le travail. Mais elle, Catherine, ne s'est aperçue de rien. Rien sur ses relations amicales avec les Rostand, ni surtout avec Iseult. Rien sur Saint-Gilles non plus. Son récit s'achève là. Et elle conclut : « J'aurais dû avertir la police. Je regrette… », plus quelques phrases grandiloquentes sur sa vie « finie ».

— C'est dingue ! Elle s'imagine vraiment que la police va croire à son histoire ? Elle se met à nu durant trente pages, affiche une vie de turpitudes, tout ça pour avouer un délit mineur… Elle prend les flics pour des cons.

— Je ne partage pas ton analyse, Annabelle. Pour moi, elle la joue même plutôt fine. En donnant tous ces détails, que les enquêteurs auraient fini par découvrir et qui auraient créé un personnage sulfureux, très éloigné de la grande bourgeoise qu'elle est aujourd'hui, elle coupe court à toutes les suspicions. Voire à des recherches trop poussées. Par exemple, le fait qu'elle pourrait être une de ces courtisanes que la mafia place dans l'entourage immédiat d'hommes influents pour avoir prise sur eux. Les affaires scabreuses autour de Berlusconi illustrent ce business à la marge de la pieuvre. On l'a aussi suggéré pour la femme qui est apparue subitement aux côtés du propriétaire de l'OM, au moment où le Milieu essayait de faire main basse sur le club.

Une manne financière, entre les transferts de joueurs, la sécurité du stade, les boutiques labellisées… sans parler des à-côtés, inhérents à la vie facile de ces jeunes sous pression et pleins aux as, prédisposés à goûter aux fruits défendus, l'essence même des revenus de la pègre. Mais les apparences sont sauves : les sociétés qui détiennent les marchés ont pignon sur rue et personne ne cherche à savoir qui se trouve derrière.

— Et donc ?

— Pour l'instant, rien.

— Elle prend quand même un gros risque en impliquant le parrain retraité.

— Pas forcément. Ce texte a été créé à 5 heures, cette nuit. Iseult, Pendorro étaient déjà morts. Spignoli arrêté. Le lien avec lui, via les paiements de la société d'Iseult, sera immanquablement établi. Donc, si tu analyses froidement, elle ne cherche qu'à se dédouaner, elle.

— Je sature. Ça me prend la tête, Arnaud ! On arrête…

Ma vue se brouille, mes oreilles se mettent à bourdonner. Je connais ces symptômes : ce sont ceux de l'hypoglycémie. Il faut dire que je n'ai pas avalé grand-chose depuis quarante-huit heures, à part un nombre impressionnant de coupes de champagne hier soir et un infâme faux café ce matin…

— Ça ne va pas ? Tu es blanche comme un linge…

— Non, non, c'est… c'est bon… Ça… ça va passer. J'ai besoin d'avaler quelque chose de consistant, de sucré, et un vrai café…

Je sens des gouttes de sueur glacée sur mes tempes. Je dois faire peur à voir car Arnaud réagit d'un coup :

— Le bar en bas doit être ouvert. Je file te chercher quelque chose… Croissant, pain au chocolat, brioche?

Peu m'importe, du moment que ça s'avale! Mais qu'il se dépêche…

— Donne-moi déjà un morceau de sucre. S'il y en a dans ta cuisine d'opérette.

Arnaud m'apporte aussitôt un sucrier frappé de toucans, attrape ses clés sur la table et gagne l'ascenseur. Je rapproche sa chaise, y pose mes pieds, m'allonge le plus possible et tâche de respirer profondément et calmement. Surtout, ne pas me laisser aller…

Le son d'un vibreur me tire de mon engourdissement. Deuxième sonnerie silencieuse. Par réflexe, je cherche mon portable. Malgré mon état, je réalise en une fraction de seconde que je ne l'ai plus. C'est celui d'Arnaud qui bourdonne au bout de la table en verre. Dans sa précipitation, il a oublié de le prendre. Un signe, enfin! Il devait être sacrément perturbé.

J'hésite, puis finis par le saisir. Un SMS s'est affiché. Sur ce modèle, pas besoin de l'ouvrir. Le contenu apparaît en gros plan sur l'écran. Difficile de résister. SMS de « Lionel » :

> Alors??? À cause de toi j'ai les bourses vides et le gland en feu. Putain qu'elles étaient bonnes.

Tout ce que j'aime! Délicatesse et finesse. Je regarde le texte affiché quelques secondes, puis ma curiosité l'emporte. Je pose mon doigt pour accéder au reste des messages. Par chance, le clavier n'est pas verrouillé. Je remonte la liste pour reprendre depuis le début cette conversation entre hommes.

Lionel, à 19 heures :

> — Rdv à 20 heures chez Reda. Laetitia insiste pour que tu viennes! Elle sera accompagnée de 3 copines.

— OK, @+

Lionel, 21 h 10 :

— On t'attend !

— Suis avec une journaliste… elle part pas !

— Bjr les horaires de dircom ! arrête heures sup fous-la dehors.

— Imposs…

Suivent plusieurs SMS de relance, restés sans réponse. Ils m'apprennent : que Lionel doit être son meilleur ami ; qu'il croit qu'Arnaud bosse pour un groupe financier US ; qu'ils partagent un appartement et des filles. J'imagine ces deux quadras en folie draguant des minettes de vingt ans, toutes sorties du même moule, même tête, même look de pseudo-top models croyant ainsi décrocher un ticket d'entrée dans « le monde »… Tu parles d'un monde ! Un plumard tout au plus !

Mais elles ont des arguments avec lesquels je ne peux plus lutter : un petit cul, des gros seins… et un corps ferme. Même si j'ai gardé à peu de choses près ma morphologie d'il y a vingt-cinq ans, je ne suis plus sur le registre de la chair fraîche, si c'est ce qui intéresse Arnaud. Le SMS de minuit est l'apothéose :

Magne-toi… vais pas pouvoir les tenir plus longtemps. Et là franchement 4 c'est trop. Tu es réclamé à cor et à cri !

Comme par enchantement, l'hypoglycémie a disparu, remplacée par l'adrénaline de la colère. Je tire ma révérence. L'iPhone ouvert à la page des messages suffira en guise d'explication.

14
Un face à face

Les flics ont disparu. Ma moto est toujours là, sur le trottoir. J'en fais le tour rapidement pour vérifier qu'il ne lui manque aucune pièce. C'est idiot, mais je n'aime pas qu'elle dorme dehors. Vu son âge, elle ne risque pourtant rien.

Pas de mauvaise surprise, elle démarre au quart de tour. J'attache mon casque, enfile mes gants mais me retiens d'embrayer. Quelle est ma part de responsabilité dans ce qui s'est passé? Tout est parti de cette idée soudaine de revenir à l'appartement et surtout de m'y attarder, plus par jeu, pour provoquer Arnaud à distance, que par réelle nécessité. Sans cela, il n'y aurait pas eu de morts, pas de course-poursuite, pas d'explosion... Ce coup de tête a changé la donne. Du rôle de simple spectatrice, je suis passée actrice et devenue l'un des rouages de cette machine infernale, sans avoir de prise réelle sur les événements.

Le quartier est calme, comme à son habitude. Rien n'indique la tragédie qui s'est déroulée dans l'immeuble en face. Les scellés ont dû être apposés sur la porte du second. Je ne prends pas le temps d'aller vérifier. À quoi bon? Pied sur le sélecteur, j'enclenche la première et démarre sans me retourner. Dans les ruelles du Panier, aucune trace non plus du rodéo de la veille. Le wagon renversé du petit train a été enlevé, ainsi que la voiture de police qui l'a percuté. Seule la station-service garde des stigmates de cette journée. Dans ce quartier en mutation profonde, cela peut passer pour un chantier de plus. À première vue, de la rue, rien de très spectaculaire : des murs noircis, le plastique fondu des pompes et du toit. Dans l'air flotte une odeur âcre et écœurante. Quant au Cayenne, évidemment, il n'est plus là… Rien à voir avec les photos qui s'étalent ce matin à la une des journaux, achetés dans un kiosque. Les confrères n'ont pas lésiné sur les clichés. Les images sont éloquentes, à la hauteur de la bande-son que j'ai suivie en direct.

L'estomac toujours désespérément vide, je fais une courte halte dans un bar. Le « fait divers » est le seul sujet de conversation. Une chance pour l'OM, qui a signé hier soir une nouvelle défaite à domicile. Les années se suivent et, pour ce qui est du sport, ne se ressemblent pas. Les propos de mes voisins de comptoir sont édifiants…

— Les voyous ne sont plus ce qu'ils étaient. Du temps où Marseille était tenue, on n'aurait pas vu ça !

— Ces cons, ils auraient pu faire sauter le quartier où ils sont nés !

— Et l'essence pour nos bagnoles, où on va aller la chercher maintenant ?

Je raffole des discussions qui se nouent sur le zinc. Je tends l'oreille tout en évitant d'y prendre part, malgré des sollicitations répétées. En d'autres temps, j'aurais volontiers ajouté mon grain de sel. Ces échanges autour d'un petit noir, d'un jaune ou d'un ballon de rouge, selon les clients, permettent de prendre le pouls des lecteurs, de sortir du microcosme journalistico-médiatique et de percevoir les vraies préoccupations de la rue. Je me contente de dévorer mon deuxième croissant en le trempant dans mon café double. Je sais, ça ne se fait pas, mais je m'en moque éperdument. C'est juste… bon.

Le besoin de solitude finit par l'emporter. Je paye, sors et prends la direction de mon appartement. Dans deux ou trois jours, une semaine tout au plus, personne ne parlera plus de cet événement. Quelques lignes dans le journal, en bas de cinquième ou sixième page. Tandis que moi, je vais devoir vivre avec. C'est ainsi, une info chasse l'autre. Je suis habituée à cette roue qui tourne sans fin. C'est la nature même du métier. On nous le reproche assez. Me reviennent à l'esprit les témoignages des victimes des dernières inondations dans le Var, que j'ai couvertes. Le besoin des survivants de raconter encore et toujours. Cette nécessité morbide qu'ils éprouvent à se repasser en boucle le film de la catastrophe m'a toujours paru suspecte. Aujourd'hui, soudain, je comprends. J'ai failli y passer. Des hommes sont morts et… Rien. Toutes les traces ont disparu. Comme si ce moment où ma vie aurait pu basculer n'avait jamais existé. Pour la première fois, j'ai une conscience aiguë de la théorie de la relativité : $e = mc^2$ est enfin devenue une formule concrète pour moi.

Esprit d'escalier : l'image de Patrick Cauvin, né à quelques pas d'ici, s'impose une fraction de seconde. Le théorème d'Einstein porta chance à celui qui n'était alors qu'un prof, puisqu'il en fit un écrivain à succès grâce à son roman *E = mc² mon amour*. Parenthèse aussitôt refermée. Mais elle est en phase avec mes idées noires, puisque Cauvin est mort. Un exemple : je suis à moto, une voiture ne me voit pas, fait demi-tour. Pas le temps de freiner. C'est fini. Je ne laisserai qu'une plaque dans un cimetière, que bientôt plus personne ne viendra voir, car les souvenirs s'estompent. L'urgence de vivre de ceux qui restent reprend toujours le dessus.

Depuis cinq minutes, je sens des larmes couler sur mes joues. Et ce n'est pas le vent, ma visière est baissée. Trop d'événements, d'émotions, de sentiments que j'ai tenté de refouler. De la Corniche, le point de vue sur la rade est magnifique. Je ne fais que le deviner à travers le rideau d'eau salée que je ne parviens pas à stopper. J'avance au ralenti, seul deux-roues sagement embourbé au milieu du flot de voitures coincées dans la traversée d'Endoume. Les autres slaloment et se faufilent. Moi, je ne m'en sens pas la force…

À propos de deux-roues… personne n'a évoqué celui de Pierre ! En une fraction de seconde, mon cerveau quitte le mode veille et balaie mes états d'âme. Quand il partait courir, il garait toujours son engin avant le pont de l'Anse de la Fausse-Monnaie. Encore cinquante mètres et… son vieux scooter réformé de la poste est là ! Je me gare à côté. Pierre avait pour habitude de laisser son téléphone et ses clés sous le cache gauche, simplement clipé sur ce modèle. Ainsi, pendant son jogging, il n'était pas gêné dans ses mouvements. Je ne touche pas au trousseau, mais j'embarque le téléphone. Contre toute attente, c'est un smartphone : il n'était donc plus réfractaire à ce genre d'outil. Brusque accélération, changement de rythme. En moins de dix minutes, je suis de retour chez moi.

*

Putains de fabricants… Quatre téléphones à la maison, quatre chargeurs mais, bien sûr, aucun adapté au Nokia E71. J'ai dû « redescendre » en ville. Une expression du parler marseillais à laquelle j'ai mis du temps à me faire.

En ville, j'y habite. Mais cette locution désigne l'hypercentre, par opposition aux cent onze autres quartiers de Marseille.

Oublié la fatigue et le coup de mou, les deux cylindres de la Bonneville sont montés dans les tours et j'ai slalomé entre les voitures. 25 euros cette merde, mais ça y est… L'écran s'allume. Pas de code pin, toujours son souci de faire vite. Je peux donc me plonger dans les mails qu'il avait téléchargés, les SMS reçus et envoyés et la liste de ses derniers appels. Pour ce genre de matériel, je n'ai pas besoin d'Arnaud. Ce téléphone est une réplique du BlackBerry de fonction que m'alloue le journal les jours de reportage. Je sais m'en servir. Pas de photos. Pas de vidéos, mais un enregistrement sonore. Daté de la veille de sa mort. La capacité du dictaphone est d'une heure maxi sur ce modèle. Conversation lointaine, comme amortie par un… frottement? La voix de Pierre est forte. Celle de son interlocuteur… euh… trice, à peine audible. J'en déduis que l'appareil devait se trouver dans sa poche poitrine, puisque je l'entends, lui, très distinctement:

— Sept bornes aller-retour jusqu'au David. On peut aussi se contenter de cinq jusqu'à l'Hélice.

— Comme tu veux. Aucun problème.

— On démarre et on verra à mi-chemin, en fonction de ton rythme et de ta fatigue.

— OK. Mais pour le rythme on y va mollo, parce qu'il faut qu'on parle.

Elle a dit ça, mais curieusement ils se taisent. Je n'entends que le souffle de Pierre. Six minutes déjà et toujours pas un mot…

— Pour notre rendez-vous de mardi… Je voudrais qu'on arrête le jeu et…

— Pas question ! Tu as fixé toi-même les règles. Tant que je paie, tu t'exécutes… N'oublie jamais la vidéo. Et pour 8000 euros, crois-moi, j'ai activé mon imagination… D'autant que je n'irai pas plus loin. Ce sera la dernière séance…

Putain… La joggeuse, c'est Catherine !

— Justement ! C'est ce que je voulais te dire. Je suis devenue accro à nos jeux. À toi… Je ne veux plus être payée.

Elle se lance dans un long panégyrique amoureux, d'autant plus grotesque que sa voix est hachée par la course. Elle use des mêmes arguments que ceux développés dans son mémo pour justifier son retour dans le lit de Villorgieux : l'ennui du quotidien… Le besoin de rêver, d'avoir des sensations fortes… Elle en fait des tonnes sur ce que Pierre lui apporte… S'attarde sur la perversité de leur relation… Une « découverte », affirme-t-elle ! Nouveau gros mensonge… Quelle salope ! J'apprends au passage qu'il a investi dans du latex pour éviter les stries sur la peau quand il la fouette, mais que la sensation de morsure et de douleur est la même. Peut-être même plus forte car le bourreau n'a pas à retenir ses coups par peur de blesser. Leur discussion me fait penser à l'affaire Stern, ce banquier de la jet-set qui s'adonnait à ce type de joutes. J'ai été fascinée par l'aspect quelconque de sa maîtresse, lors de son procès pour meurtre. Lui était beau, riche et intelligent. Elle, d'une banalité affligeante. Le sexe était le seul lien entre ces deux êtres dissemblables. Pas le cas des deux joggers que j'écoute. Quelque part, j'enrage.

— On court à 9 km/h… C'est lent !

— Oui, mais on parle et pour le souffle… c'est limite !

Cet aparté technique permet à Catherine de changer de sujet. Elle est directe :

— Je sais que tu t'apprêtes à publier une enquête. Or elle gêne beaucoup de monde.

— Comme tu dis ! Elle va faire désordre.

Et Pierre de se lancer à son tour dans un monologue jubilatoire. Il parle des pêcheurs impliqués, des clandestins débarqués dans des lieux isolés. Puis de la filière mise en place derrière les grilles du port, avec des complicités internes… Évoque Pendorro, Spignoli…

— Et au sommet de la pyramide, il y a… vous. Monsieur et madame…

Je reconnais d'emblée sa technique d'interview. Il a lâché d'une traite beaucoup d'infos, assez décousues, mais il leur prête une cohérence qui persuade son interlocuteur qu'il sait tout ou presque.

— Cet article, il va te rapporter combien?

— Autour de cinq mille net.

— On te l'achète dix fois plus.

— Non.

— Et je suis comprise dans le package pour une dernière séance d'anthologie… Avec Iseult de Rostand.

La réponse de Pierre claque :

— Iseult, tu la laisses en dehors de tout ça.

— Pourquoi? Ne me dis pas que tu la prends pour une sainte? Elle…

— Ferme-la ! Puisque tu suggères la participation d'une femme, je vais t'en trouver une. Une dominatrice qui te donnera un aperçu de ce qui t'attend derrière les barreaux.

Le débit de Pierre est moins saccadé. Ils viennent sans doute de s'arrêter.

— Trente-cinq minutes pour cinq bornes… Nul !

Bruit d'une portière qu'on ouvre. Elle a dû monter dans une voiture.

— Un dernier détail. Pour le jeu, si tu te dérobes mardi, l'article sort jeudi. Si tu es parfaite, tu gagnes une semaine de répit… Pas plus. Après cette dernière séance, j'aurai fait le tour de mes fantasmes. Je referme la boîte de Pandore.

— Mais entre nous, ça ne peut pas se réduire à ça ! La dernière fois… après… On a parlé pendant des heures. On a même fait l'amour avant que je parte…

— Non, ce n'était pas de l'amour. Les femmes dans ton genre, les demi-mondaines, je les baise et basta !

Le ton est blessant, méprisant. Suit un court silence que Catherine rompt :

— Tu cours tous les jours ?

— Ouais ! À cette heure-ci, au crépuscule, le parcours est sublime… Allez, à mardi ! Motive-toi.

Pierre sera abattu le lendemain. Selon les enquêteurs, le tueur était une connaissance. Il ne s'est pas méfié. Il courait à ses côtés. Un revolver, petit… Je n'ai aucun doute sur l'identité de l'assassin. Puisque je dois me rendre à l'Évêché pour ma déposition, je vais apporter ce téléphone à Paoli…

*

Je l'ai fait appeler en arrivant à l'hôtel de police. Il y avait foule à l'accueil. Pas envie de faire la queue. Sitôt prononcé le nom du commissaire, le planton s'est montré déférent. Davantage encore quand la voix, à l'autre bout du fil, a ordonné de me faire monter. Escortée par une femme qui a rectifié sa tenue, je gagne son bureau, à l'étage des huiles. J'y suis déjà venue à plusieurs reprises.

Sans être luxueuse la pièce est vaste, lumineuse. La vue donne sur la Major, de son vrai nom Sainte-Marie-

Majeure, la cathédrale de Marseille. Les touristes sont persuadés que c'est Notre-Dame-de-la-Garde qui est parée de ce sacrement. Erreur : la protectrice de la cité n'a que le rang protocolaire de basilique. Construits à la même époque, les deux édifices se ressemblent. Mais celui qui se dresse actuellement devant moi est bâti sur une église dont les murs les plus anciens remontent au ve siècle. Sa crypte, depuis le haut Moyen Âge, accueille les dépouilles des prélats de la ville. Un endroit mystérieux auquel on accède par un petit escalier situé derrière l'autel. Le lieu, secret, est interdit au public. Je l'ai découvert peu de temps après mon arrivée à Marseille, en compagnie d'un archevêque devenu confident et ami. Un philosophe, avec qui j'avais de longues conversations plusieurs soirs par mois. Bien que baptisée, je n'ai pratiqué que jusqu'à ma communion solennelle, comme beaucoup. Il le savait et n'a jamais cherché à convaincre la brebis égarée de regagner le troupeau. Se sachant atteint d'un cancer en phase terminale, il m'avait amenée dans ce caveau où il reposerait pour l'éternité. Y régnait un silence extraordinaire. Immense, la crypte s'étend sous le chœur. Magnifique avec ses voûtes romanes, ses pierres brutes, ses cierges allumés en permanence, l'odeur de l'encens. Il en émane une impression d'éternité. Là, au côté de cet homme en sursis, je me suis mise à croire. Besoin de me raccrocher à quelque chose, alors que le doute envahissait mon quotidien. Saisie d'un élan mystique, j'ai lu les livres qu'il me conseillait sur la foi. Et nos discussions se sont mises à tourner tout naturellement autour de ce sujet. Il est mort quelques semaines plus tard. Le Saint-Esprit a disparu avec lui.

— Spignoli n'a pas voulu porter le chapeau.

La voix de Paoli me ramène brusquement à la réalité. Comme à son habitude, il ne s'embarrasse pas de formules de politesse ou de mots inutiles. Tout autre que lui aurait commencé par prendre de mes nouvelles ou m'aurait simplement dit « bonjour ». Ce n'est pas son style. Je me demande ce que je représente pour ce flic. Nous avons souvent eu des apartés, déjeuné ensemble, bu des cafés et des apéros, mais je ne le cerne toujours pas. Son look, ce matin, est étudié. Costard gris anthracite en Super 100, bien coupé, chemise blanche à col italien, punaises Dinh Van en guise de boutons de manchettes, souliers John Lobb… le commissaire divisionnaire a fière allure. Ça n'a pas toujours été le cas. Il a connu un sérieux passage à vide après le décès de sa femme. Une sclérose en plaques, neuf années de soins lourds, de rémissions, de récidives… Un combat mené à deux, mais dont il est sorti seul, épuisé, meurtri. C'était il y a quatre ans.

— On a peu de temps. Le ministre descend en coup de vent et je suis obligé d'être au pince-fesses.

Je constate également que son cerveau est toujours aussi vif!

— On est en train de vérifier, mais d'après les inspecteurs qui ont interrogé Spignoli, il a fait un compte rendu circonstancié qui se tient.

— Tu n'y as pas assisté?

— Non, je le connais trop. J'ai suivi le début en direct sur mon ordi, par webcam. Inutile d'intervenir. Il sait comment fonctionne la maison et voulait collaborer, alors…

— Alors? Qui a tué Saint-Gilles? et Iseult de Rostand?

— Le proc est prévenu. Il sera au côté du ministre lors de la conférence de presse à 18 heures. J'étais contre. Mais tu sais ce que c'est, la politique… Le patron a dit oui, après un coup de fil du DG de la police nationale. L'ouverture des 20 heures, la veille des obsèques du journaliste, c'est la garantie d'une info positive non-stop durant tout le week-end, puisque l'affaire est résolue…

— OK, Jean-Louis, accouche !

Assis devant la fenêtre, dans de gros fauteuils confortables, nous nous faisons face. La vue est magnifique. Paoli m'a raconté la guerre qu'il dut mener contre le service du mobilier afin que son bureau ne se trouve pas, comme l'exige le règlement, au centre de la pièce, face à la porte et donc dos à la Major. Une bataille de plusieurs semaines, finalement perdue face à l'administration, dépositaire des meubles de la République… Passant outre le règlement, il avait installé son bureau comme bon lui semblait, avec l'aide de flics de son équipe. Le responsable du mobilier avait pondu une note au vitriol contre ce véritable crime de lèse-majesté. L'affaire en était restée là. Depuis lors, tout patron de la crim qu'il soit, Paoli doit attendre une semaine, voire davantage, pour qu'une ampoule grillée soit remplacée.

L'espace de travail est à droite en entrant et le coin salon où nous nous trouvons fait face à la cathédrale. Je suppose que le long canapé sur le côté est dévolu à sa sieste quotidienne de dix minutes. « Indispensable et régénératrice », m'a-t-il dit un jour, écourtant un déjeuner pour s'y consacrer.

Tiens, il a les pupilles de la couleur de sa veste. Je ne m'étais jamais attardée sur ses yeux, son hâle, ni sur son allure. Il n'est pas avachi dans le fauteuil mais assis bien droit, jambes croisées.

— Lis. C'est la synthèse que je m'apprête à envoyer. Elle va servir de base aux interventions des autorités. Il y a de quoi rassasier tes confrères, je pense…

Il a prévu son coup car il ne se lève pas. De sa poche, il sort deux feuilles pliées et me les tend.

— Si tu vois des fautes d'orthographe ou de syntaxe, ne te gêne surtout pas. Pour le style aussi.

Il s'est projeté hors du fauteuil et arpente la pièce de long en large. Pour faire illusion, j'ai sorti mon stylo. Je me fous pas mal de la forme. Il faudra quand même la revoir car c'est tout simplement… nul. Un salmigondis de termes ampoulés et de jargon administratif. En revanche, je dévore le fond. Spignoli reconnaît sa participation au trafic de clandestins. Lorsqu'un container était annoncé, il mettait systématiquement la même équipe au planning. Après chargement, le camion subissait une pseudo-inspection par le biais des caméras de surveillance. Puis il quittait l'enceinte portuaire sans encombre. Le plus délicat était d'éviter l'affolement des hommes et des femmes quand les agents de sécurité déverrouillaient les portes pour simuler le contrôle obligatoire. Là encore, Spignoli avait trouvé une « astuce » (*sic*). Quelques secondes avant l'ouverture, un message enregistré dans la langue des clandestins leur signifiait de ne surtout pas bouger, qu'ils allaient repartir vers leur destination finale. Le patron d'ASS était fier de sa trouvaille ! Son interrogatoire laisse apparaître, en filigrane, que non seulement il n'a pas honte de ce trafic, mais qu'il a le culot de prétendre « servir l'économie nationale et apporter de l'espoir à des malheureux qui viennent chez nous de leur plein gré ». Au passage, il en profite pour mouiller Pendorro, son interlocuteur chez les dockers.

— Quel cynisme, ce Spignoli… En donnant « spontanément » Pendorro, il ne prend pas trop de risques !

— C'est logique. Il était son alter ego dans le trafic. Mais continue, c'est la suite qui est intéressante.

Ça, pour être intéressante!... Je n'en crois pas mes yeux. Selon Spignoli, c'est le couple Rostand qui serait à l'origine de l'extension du trafic. Monsieur, pour être exact. Mathieu de Rostand, après des nuits passées à négocier avec les représentants dockers pour la compagnie maritime qui l'emploie, aurait approché Pendorro. Il l'aurait informé qu'il était au courant de certaines combines, comme celle des containers qui « tombent des grues » et sont déclarés explosés. En fait, il n'en est rien. Le container touche violemment le sol sur un de ses coins, ce qui a pour effet de le déformer. Il est bon pour le rebut, ainsi que la cargaison. Il suffit de récupérer les objets qu'il contient, intacts car soigneusement conditionnés, par exemple des téléviseurs, tandis que l'expéditeur est remboursé par l'assurance du port. Sans grande incidence, puisque le montant de cette dernière est répercuté sur le coût des passages... Au bout du compte, tout le monde est gagnant. Dans cette ville pauvre où 50 % de la population est non imposable, c'est un des éléments de la paix sociale. Une caisse sur treize mille par bateau, ça passe totalement inaperçu. Et ça alimente un marché parallèle sur lequel on trouve les derniers écrans plats à 30 % de leur prix dans le commerce. Ce qui explique que les gosses des cités peuvent arborer les derniers modèles Nike ou Lacoste, ou que bon nombre d'appartements des quartiers nord sont aussi bien équipés que les salons des villas cossues du VIIIe qui surplombent la mer.

Rostand aurait surtout appris que des clandestins en provenance d'Algérie voyageaient parfois dans des containers à bord de ses ferries. D'où son idée d'un trafic à grande échelle et pas sur sa seule compagnie. Sa femme aurait conçu un logiciel pour faire disparaître du stock les containers chargés d'humains. Logiciel payé au prix fort par les passeurs. Depuis, Mathieu empochait une commission de 10 %. Très méfiant, il avait institué une taxe par passager, calculée au poids. Une fois les caisses passées à la pesée, le logiciel lui indiquait pour chaque livraison le nombre théorique de clandestins. Pour faire simple, il avait fixé arbitrairement le poids de chaque individu à 80 kilos, bagages compris. Conséquence sordide, pour se faire du blé sur son dos, les passeurs privilégiaient les femmes et les enfants et interdisaient les bagages. Dans ses « aveux », Spignoli affirme s'en être rendu compte. On lui annonçait des cargaisons de vingt personnes et il voyait descendre une cinquantaine de frêles Chinoises sur le parking de transfert vers les bus. Et de poursuivre : c'est encore Rostand qui aurait pris contact avec Belkacem pour les clandestins à débarquer avant d'atteindre Marseille, sur des plages du littoral varois ou de Corse. Des destinations spécifiques liées à la nature de certaines cargaisons, par exemple des cuisiniers ou autres plongeurs destinés à travailler dans les restaurants de la Riviera durant la saison estivale…

— Il a donné le responsable du réseau de passeurs ?

— Non ! Il n'est pas fou. Mais le Milieu est forcément impliqué. Spignoli sait qu'à ce stade, juridiquement, son rôle ne relève que de la correctionnelle. C'est Rostand qui va tout prendre. Je l'ai fait interpeller à 6 heures ce matin. Il est en garde à vue. Il est tellement déstabilisé qu'il s'est mis à table immédiatement. Son contrat à Marseille se finissait dans un an. Il a trouvé le moyen de se faire du fric et de se constituer rapidement un beau matelas net d'impôt. Ses déclarations corroborent celles de Spignoli. Affaire bouclée. Apparemment, il ignore qui est le parrain. Il percevait son dû via une société offshore dont il dit ne pas connaître le propriétaire. Son seul interlocuteur était Pendorro.

— C'est ça, oui! On devrait gober ça! Et les meurtres de Saint-Gilles et de sa femme?

— Retour à Spignoli. Pendorro aurait appris que Saint-Gilles s'apprêtait à publier un article sur le trafic: exit le journaliste! Dans le même temps, un différend financier aurait éclaté avec Mathieu de Rostand, doublé d'un chantage de ce dernier sur certains dockers proches de son clan. Des gros bras qui occupent des emplois fictifs sur le port et qui sont en fait de petites frappes du Milieu. Ceux que l'on envoie chercher les enveloppes des « réfractaires au paiement des honoraires » ou expliquer aux femmes qu'elles doivent tapiner plus pour gagner plus… Le genre de travail délicat mais essentiel pour tout truand parvenu à un certain niveau et qui entend se faire respecter. Bref, Rostand se serait pris pour le nouveau caïd des quais. L'élimination de sa femme aurait tenu lieu de rappel à l'ordre… J'ai quand même demandé à mes gars de creuser une autre piste. Celle du mari jaloux…

— Ton idée de départ. À cause de la seconde balle?

— Ouais… Peut-être que sa femme… et ton ex? Pendorro serait toujours le meurtrier, mais Rostand deviendrait le commanditaire des deux meurtres… Ce qui changerait son statut aux assises. S'il a agi par jalousie, ça devient une « affaire dans l'affaire ».

— Arrête! Foutaises! Ça ne colle pas, Jean-Louis!

Je sors de ma besace le téléphone de Saint-Gilles. Paoli ne dit pas un mot en me voyant trifouiller les touches pour lui faire entendre l'enregistrement. Pas un mot non plus tout le temps que dure le silence, entrecoupé des respirations du coureur. Toujours rien quand débute le dialogue entre Pierre et la femme, que je sais être Catherine. Jusqu'à la fin de leur conversation, aucun de nous ne cille. Mais à l'instant même où je coupe le téléphone…

— Et alors ?

À ce stade, je pourrais m'en tenir à une explication sur la seule découverte du portable. Or je lui déballe tout. La descente dans l'appartement, la nuit même du meurtre. La note manuscrite de Pierre. Son ordinateur. Arnaud… Tout. Je parle vite, très vite, comme mue par un sentiment d'urgence, à moins que ce soit le soulagement de vider enfin mon sac, devenu un peu trop lourd ces dernières heures… Il ne m'interrompt pas. Se contente de me regarder. Mon récit, assez détaillé, dure près de dix minutes.

— Et donc ?

Après tout ce que je viens de lui lâcher, toutes les infos que je viens de lui donner !

— T'es con ou quoi ? Catherine de Vouvray est impliquée dans le trafic !

L'apostrophe familière est sortie toute seule. En même temps que je la prononce, la partie rationnelle de mon cerveau clignote au rouge. À tort. Le commissaire ne relève pas.

— Non. Si je te suis, elle est impliquée dans un trafic parallèle… de thons ! Et rien que de thons !

— Avec de Guiche, on a lu sa confession écrite où elle met en cause un voyou sur le retour, sans le citer mais…

— Il s'appelle Orsoni. On est déjà dessus. Il est entendu depuis hier soir à la financière, à Paris, pour les virements effectués depuis l'une des sociétés qu'il contrôle sur le compte de Granny-Smith, celle du couple Rostand – enfin, de Mathieu surtout, car monsieur détient 89 % des parts. Les 11 % restants sont au nom d'Iseult, qui faisait office de gérante. L'explication de Mattéo Orsoni se tient. Cette boîte a créé les sites Internet de toutes les enseignes du groupe de restauration, bars, établissements de nuit, etc., qu'il gère le plus légalement du monde. Granny-Smith en assure la maintenance et la valorisation, d'où l'importance des sommes versées… sur factures !

— Mais tout ça, c'est bidon ! Un écran de fumée ! Les mails entre Catherine et Iseult sont explicites.

— Tu les as ? Ils ont été saisis sur commission rogatoire ? Dans le cadre d'une enquête ?

— Mais enfin, Jean-Louis, puisque je te dis que j'ai tout lu ! Que j'ai vu une vidéo où Catherine couche avec Pierre. Dès lors, leur conversation enregistrée pendant le jogging devient limpide !

— Désolé. Pas pour moi. D'abord, à aucun moment je ne sais qu'il s'agit de Mme de Vouvray. Et l'analyse de la voix ne donnera rien. Elle est trop lointaine et déformée par la course. Et puis, s'il y a bien soupçon de menace et chantage, c'est Saint-Gilles qui les profère.

— Justement ! C'est pour ça qu'elle l'a tué !

— Sauf que j'ai le témoignage crédible d'un ancien flic qui désigne Pendorro comme le tueur. Que j'ai des protagonistes et une histoire qui tient la route. Et ajoute à cela un ministre qui débarque dans l'après-midi et un communiqué qui doit partir dans quelques minutes… après avoir été corrigé par tes soins.

— Non. Pas question ! Tu viens avec moi aux docks. Tu interroges Arnaud de Guiche et tu relances l'enquête en direction des Vouvray. En tout cas, de Catherine. Son mari, je te l'accorde, on ne sait pas trop ce qu'il sait ou a fait.

Le ton de nos échanges a progressivement évolué. Ma voix est de plus en plus agressive, la sienne métallique et autoritaire.

— Annabelle, deux options : soit tu corriges mon texte, soit je te mets en garde à vue pour vol, dissimulation de pièces, etc. Je fais une descente immédiate chez ton copain, saisis tout le matos et le fous en examen ! Avec ce type de hacker, je n'aurai que l'embarras du choix pour le motif… Et je me contente de faire relire ce communiqué par mon assistante avant de l'expédier. Tu choisis !

Tu parles d'un choix ! Je prends l'option numéro un, rature deux fautes, change un mot. En se levant pour me raccompagner à la porte, Paoli s'empare du téléphone de Pierre, posé sur la table basse :

— Écoute, dans l'immédiat, officiellement, je ne peux rien en faire… mais je le garde. Un jour ou l'autre…

Il ne termine pas sa phrase. Le gris de ses yeux a viré au noir. Il me fixe intensément. Je sors de son bureau sans un mot. Je l'entends dans mon dos :

— Pour ta déclaration, prends rendez-vous avec le capitaine Zuchelli… C'est un des inspecteurs de mon équipe. Il est surbooké, ça peut attendre lundi. Tiens-t'en aux faits : ton agression dans l'appartement. Ne perds pas de vue que, pour nous, tu n'es qu'un témoin dans une affaire résolue.

*

Bref détour par les docks pour alerter Arnaud. Je fais confiance à Paoli, mais bon… La porte s'ouvre. Un homme sort du loft, poussant un chariot où s'empilent des cartons. Dans la grande salle, d'autres individus en combinaison verte. Ils s'affairent autour des armoires d'ordinateurs. Débranchent les câbles, rangent le matériel, l'emportent… Arnaud n'est pas là. Je ressors abasourdie. Les preuves s'effacent les unes après les autres. Plus j'avance, plus j'ai de certitudes, moins je peux en faire la démonstration... Sans compter que je vais être le dindon de la farce. Il n'a plus besoin d'attendre lundi pour sortir « notre scoop » qui va devenir le sien. Pauvre fille ! Quelle conne je fais. Il me reste une dernière chance pour éviter d'être totalement ridicule...

Direction le journal... C'est comme si le continuum espace-temps venait de changer. L'impression de vivre en accéléré. Depuis hier, les éléments s'enchaînent, m'entraînent dans une spirale que je ne maîtrise pas. Pour la première fois, je comprends la satisfaction mentale que procure le déterminisme. Dieu le veut, *Inch'Allah*. Considérer que l'on n'est pas vraiment maître de son destin doit être reposant. Impression confirmée dès que j'entre dans la salle de rédaction. J'apprends que le *big boss* a été débarqué par l'actionnaire, sans aucun signe avant-coureur. Son remplaçant est attendu dans la journée. Dans ses valises, un plan social qui devrait concerner au moins soixante personnes, parmi lesquelles plusieurs journalistes. Mon enquête n'intéresse personne. Les discussions ne portent que sur l'information interne. Marseille, la France, le monde peuvent attendre. D'ailleurs, le journal ne sortira peut-être pas demain. Les syndicalistes font le tour des services pour inciter à la grève. Préventive, puisque le seul fait avéré est encore le départ du patron. Le reste n'est que rumeur et suppositions.

Travailler dans ce bordel ambiant est impossible. Je m'installe à un bureau disponible et ouvre ma session d'ordinateur. Sans surprise, ma messagerie est saturée de communiqués de presse et autres relances en tout genre... Trois cent quarante mails depuis la dernière connexion, hier, via l'iPhone, juste avant de filer chez Pierre. Hallucinant. Au milieu de cette avalanche de courriels que je suis sur le point de virer sans les ouvrir, un message d'Arnaud :

> Comme prévu, je change de job. Je dois m'imposer vite. Un papier sur Médiapart dès la fin de l'après-midi pour être repris par les 20 heures. Désolé... Mes nouvelles coordonnées...

Je clique sur « supprimer », destination corbeille. Un coup d'œil sur le site du journal. Pour gagner du temps, je n'affiche que les articles contenant le mot « Marseille ». C'est vite fait, il ne se passe pas grand-chose en dehors de l'affaire Saint-Gilles, devenue celle des clandestins. Au détour d'un lead intitulé : « Toutes les compagnies marseillaises concernées par le trafic », une info de taille tout de même : Vouvray n'est plus directeur général délégué de la Compagnie du Levant. Il a été nommé ambassadeur de France au Japon. Simple coïncidence ? En l'occurrence, j'ai du mal à croire au hasard. Coup de fil à l'attaché de presse de la Compagnie : la décision, selon lui, était dans les tuyaux depuis plusieurs semaines. Et non, je ne peux pas parler à M. de Vouvray qui est à Paname.

Et madame… où est-elle ? À force de le voir s'inscrire sur les ordinateurs d'Arnaud, j'ai mémorisé le numéro de portable de Catherine. Puisque le « cher nouveau confrère » va me prendre de vitesse, il me reste l'interview exclusive du *deus ex machina* de cette affaire :

— Madame de Vouvray ? Bonjour, Annabelle Demais. Je suis journaliste à…

— Mon mari n'est pas là !

— C'est vous que je souhaite rencontrer.

— À quel sujet ?

— Le trafic de clandestins qui…

— Je vous ai dit que mon mari n'était pas là… Pour une journaliste, vous êtes mal renseignée, il n'est plus directeur général…

— Je sais.

— Eh bien, alors, au revoir, madame.

— Je ne crois pas, non ! J'ai vu des vidéos un peu particulières, tournées par Pierre Saint-Gilles, dont vous êtes l'actrice principale. J'ai lu également vos échanges de mails avec Iseult de Rostand et votre confession… Je dois aller faire une déposition à la police tout à l'heure. Je pensais qu'une conversation avec vous, auparavant, me permettrait d'y voir un peu plus clair…

— Passez à la maison. Une des dernières de l'Estaque. En retrait de la route du Rove. La plus ancienne, vous ne pouvez pas la rater.

— J'arrive dans dix minutes.

— Je vous attends.

Au moment où je m'échappe de la rédaction, Rulat me tombe dessus. Le rédacteur en chef est bien le seul, ce matin, qui reste préoccupé par l'actu. Détour obligé par son bureau pour un tête-à-tête. Il est hors de lui, monte tout seul dans les tours parce que j'ai été injoignable, incapable de lui fournir des tuyaux de l'Évêché ! Dans sa rage, il ne me demande même pas de me justifier. Évoque une commission de discipline pour ne pas avoir rendu le moindre papier sur cette enquête qu'il m'avait chargée de suivre – à ma demande, insiste-t-il.

— Tes cinq confrères du service police-justice ont bossé comme des dingues pendant que tu avais disparu de la circulation ! Alors ce soir, tu les soulages, c'est toi qui te fades la conférence de presse du ministre de l'Intérieur à 18 heures !

Petite mesquinerie : c'est le genre de « reportage » qu'on refile habituellement aux stagiaires. Il me congédie sur une dernière amabilité :

— Ça ne sera pas trop dur pour toi de recopier son communiqué ? Avant l'heure du bouclage ! Tu penses t'en sortir ?

Je ne l'ai jamais vu dans cet état. S'il y a une purge, à tous les coups je serai la première sur sa liste. À moins qu'il soit le prochain à être débarqué, d'où son humeur. Ce serait totalement injuste, mais c'est le risque inhérent à la prise de galons…

*

Voilà plus d'une heure que j'ai eu Catherine au téléphone. M'aura-t-elle attendue ? L'accès à la maison se fait par le garage, au rez-de-chaussée. La porte s'est ouverte quand j'ai sonné. Personne pour m'accueillir. J'emprunte l'escalier intérieur et débouche sur une grande terrasse, occupée pour un tiers par un couloir de nage. Summum du luxe, le bassin se prolonge dans la maison en passant sous une baie vitrée. Point de vue magnifique sur la rade. On se croirait dans une de ces villas sélectionnées par *Côté Sud*.

Catherine est là, en peignoir de bain gris perle, court. Sans un mot, elle me fait signe de la suivre. Une porte et nous parvenons dans la vaste pièce où aboutit la piscine. Il s'agit en réalité d'un jardin couvert, peuplé de plantes, sous une verrière Art déco qui filtre le soleil. Au fond, des instruments de gym, appareils de musculation, tapis de course et autres Power Plate. Ce qui se fait de mieux en la matière.

— Nous allons discuter au calme, dans le hammam.

— Je n'ai pas de maillot.

— Voyons, nous sommes entre femmes… et si nous voulons avoir une vraie conversation, je dois m'assurer que vous n'êtes pas équipée d'un micro.

La salope! Cuir, chemise, soutien-gorge, boots, socquettes, jean, culotte, je m'exécute d'une traite, sans lui jeter un regard. Je n'accepte de le faire que dans la perspective d'être dans quelques secondes au même niveau qu'elle. Nues, à armes égales. Elle me fait passer devant, pousse une porte en verre dépoli. Le hammam est superbe, dans la pure tradition des bains turcs. La pièce au plafond voûté est entièrement carrelée en zellige dans les tons d'ocre. Une large banquette en fait le tour. Sur un plateau en teck, un bol de savon noir, une pierre ponce, des gants de crin et, par terre, un grand seau d'eau dans lequel flottent deux petites écuelles. La lumière est tamisée. La vapeur parfumée à l'eucalyptus nous enveloppe déjà. Je précède Catherine. Elle laisse tomber son peignoir avant d'entrer. J'entends le coton épais toucher le sol. Je me retourne. Elle est… en maillot une pièce! Quelle garce… Ce simple bout de tissu noir lui assure un ascendant psychologique. Son corps est couvert et je suis nue. Ça fait toute la différence. Ma seule parade est d'avoir l'air naturel. Ne pas croiser les jambes ni tenter de dissimuler mon triangle ou mes seins. Elle ne doit surtout pas percevoir ma gêne. Je prends place face à elle, bien droite, les mains posées sur la mosaïque de chaque côté de mes cuisses.

Mon corps commence à perler de fines gouttelettes. La chaleur humide devrait contribuer au relâchement et à la quiétude; elle n'a aucun effet sur la boule de nerfs que je suis. Au lieu de fermer les yeux et de me décontracter, je laisse la haine m'envahir, prendre le dessus. En roulant, j'avais élaboré *le* scénario idéal, avec *la* phrase d'accroche censée la déstabiliser d'entrée : « Avant d'aller voir les flics, je tenais à avoir une conversation avec vous, pour tenter de comprendre. J'ai vu une vidéo tournée par Pierre, manifestement à votre insu… » Au lieu de ça, j'attaque par :

— Si tu crois que ça me gêne ! Je t'ai vue sous toutes les coutures dans une vidéo tournée par Saint-Gilles… Vidéo que j'ai en ma possession.

Je suis nulle, ma voix tremble de rage.

— Ah oui ?

Son ton à elle est ironique. Elle me reluque ouvertement.

— Oui. Ainsi qu'un enregistrement qui date de la veille de sa mort. Tu cours avec lui. Vos propos sont explicites et donnent le mobile du meurtre…

— Et ?

Difficile de la déstabiliser. Je poursuis sur le même registre :

— Et la confession que tu destinais manifestement à la police… Confession totalement bidon, compte tenu de tous les courriels échangés avec ta bonne copine et néanmoins complice, Iseult. Que j'ai lus…

La haine est mauvaise conseillère. Elle m'empêche de mener une conversation normale. En crachant mon venin, je ne fais que me soulager. Je sais que j'ai perdu la maîtrise de l'échange.

— Ma chère… comment, déjà ? Peu importe… Sachez que, le temps que vous arriviez, mon mari a eu depuis Tokyo une petite conversation avec le préfet. Les énarques entre eux, vous savez ce que c'est… Vous avez raison, la police dispose bien d'un enregistrement audio, mais totalement inexploitable. Pour le reste, rien. Le commissaire principal Paoli a indiqué que l'affaire était bouclée.

Elle jubile, méprisante. Plus elle exulte, plus j'ai envie de la frapper.

— Et puisque vous mentionnez une vidéo, le préfet a évoqué avec l'ambassadeur celle enregistrée à votre insu au domicile de la victime. Vous vous apprêtiez à une partie de jambes en l'air avec le meurtrier et son complice, avant qu'ils soient abattus. Dans votre genre, vous n'êtes pas farouche non plus! Le commissaire a justifié votre attitude en évoquant pudiquement le syndrome de Stockholm. Mais le procureur, pour peu que la chancellerie insiste, pourrait y déceler de la complicité… perverse.

L'ordure! Deux mètres à peine me séparent de cette femme que je hais, que j'abhorre, que j'exècre. Je vais lui marteler sa gueule de salope…

— Assise!

Je n'ai eu que le temps de me lever. D'un geste vif, elle a saisi un petit pistolet dissimulé sous le gant de crin. En une fraction de seconde, je sais. Je sais que tous les scénarios de films où le héros se rue sur son adversaire, malgré une arme braquée sur lui, sont bidon. Mes jambes se dérobent. Je suis glacée, je tremble comme une feuille. Peur panique. Je ne me contrôle plus, m'entends balbutier:

— Je vous en prie… Ne tirez pas…

Mécaniquement, je reprends ma place. Plus rien à voir avec la position fière et assurrée d'il y a cinq minutes: je suis prostrée, recroquevillée…

— Le texte sur mon ordinateur, les mails, tu les as lus comment?

— Grâce à un hacker… qui a pénétré dans le matériel d'Iseult et à l'ordinateur de Pierre. Mais tout a disparu. Pendorro a fait le ménage. Tout a brûlé…

— Et moi, j'ai balancé mes ordinateurs au fond du port. Tu veux la vérité ?

— Non... Je ne veux rien savoir... je veux juste partir... Laissez-moi partir.

Elle n'abaisse pas son arme. Je suis assise en position fœtale, la tête entre mes bras. Malgré la température ambiante, je grelotte. Cette femme me terrifie.

— Pour l'instant, tu écoutes !

Sa voix est hautaine. Pleine de morgue. De toute évidence, Vouvray a un ego surdimensionné qui la pousse à me parler pour être écoutée, c'est tout. Mes neurones s'agitent. Elle ne va pas me tuer... Pas tout de suite. Elle a besoin qu'au moins une personne sache qu'elle n'est pas seulement l'épouse de... Que c'est elle qui l'instrumentalise. Mon statut de journaliste fait de moi la confidente idéale. Arnaud avait raison, son récit avait pour seul objectif de passer pour une victime au cas où ça tournerait mal, si d'aventure les flics s'approchaient d'un peu trop près. Elle a tapé sa « confession » au petit matin, après avoir appris les arrestations de Spignoli et Rostand.

— J'ai écrit ce texte d'une traite, je reconnais que c'est un peu romancé. Je suis ravie que mon unique lectrice soit de la partie. Tu as apprécié le style ? Ça t'a intéressée ?

Ne rien dire. La laisser poursuivre dans son délire. Je hoche la tête en signe d'assentiment. Ses propos sont décousus. Elle se met en scène. Se raconte sur le même ton narratif que dans sa pseudo-confession. Au moins, elle parle d'elle à la première personne. Le personnage dont elle esquisse les contours m'évoque immédiatement Mata Hari. Elle s'attarde longuement sur des détails tels que l'évolution de son physique à diverses étapes de sa vie. Née dans une famille aisée propriétaire de plusieurs parcelles de vignobles et d'un château dans le Mâconnais, elle est l'aînée de deux filles que huit années séparent, « un gouffre », précise-t-elle. Elle se fabrique alors un monde bien à elle et grandit dans l'illusion d'être une princesse. Elle en a tous les attributs : la beauté, le port altier, l'élégance discrète et la conviction d'avoir un rang à tenir. Mais la préférence de ses parents pour la petite sœur et une éducation trop rigide vont pousser à la facilité la « superbe jeune fille » qu'elle est devenue. Consciente de sa beauté et de ce qu'elle dégage, elle troque les études pour le mannequinat, avec plus ou moins de succès et la connotation péjorative que cela implique dans son milieu… Son père, intraitable, va jusqu'à la renier. C'est le « premier jour du reste de sa vie ».

Tandis que, debout, face à moi, ses phrases, ses mots s'enchaînent, mon cerveau fait le tri, synthétise, classe les informations qu'elle livre en vrac. Sa biographie, je suis capable de l'écrire, là, tout de suite, en direct. Pas sûr qu'elle l'apprécierait. Pourtant, ma version doit mieux coller à la réalité que l'hagiographie qu'elle me déballe. Sur Villorgieux et Vouvray, tout est vrai, à un petit détail près ! L'homme de sa vie, « son homme », c'est Orsoni. Mattéo Orsoni, le parrain soi-disant retiré des affaires. D'où le « O » tatoué. Elle n'a que dix-neuf ans quand le truand la repère. À l'époque, elle court les castings, n'a renoncé ni au luxe ni à l'argent et est fascinée par le monde de la nuit. Se jouant des interdits de son milieu d'origine et du respect de l'étiquette, elle se met en ménage avec un jeune caïd marseillais en pleine ascension, prénommé Bastiani. Ces deux-là s'autofascinent :

— J'étais extrêmement belle et désirable. Une femme comme moi, ça pose un homme, précise-t-elle en toute humilité.

À cet instant du récit, Catherine marque une pause. Les yeux dans le vide. Peut-être parce que cette expérience fut à l'image de la vie de son jeune amant : obscure et courte. Ce dernier, en effet, est abattu de deux balles dans la tête alors qu'il rentrait chez lui au petit jour. Je situe la période, je rechercherai dans les archives du journal. Il y aura peut-être une photo. C'est à ce moment-là qu'Orsoni entre en scène. Alors dans la fleur de l'âge, il la prend sous sa protection. L'envoie à Paris, lui déniche un emploi Chez Castel. Insouciance, joie de vivre retrouvée, amour absolu pour son protecteur qui ne l'empêche pas d'avoir de multiples aventures. Orsoni, loin d'en prendre ombrage, lui en suggère même certaines. Elle le voit peu. Les « affaires » de celui qui gravit les échelons de la pègre sont à Marseille. Il n'empêche. À chacun de ses séjours parisiens, ils ont plaisir à se retrouver.

Cette intimité dévoilée sans pudeur me conforte dans l'idée que son récit s'adresse à elle-même plus qu'à moi. C'est une analyse. Je ne suis pas une journaliste, mais une psy qui écoute en silence. Les yeux toujours braqués dans ma direction, elle ne me regarde pas, fixe un point derrière moi… au-delà.

Villorgieux fut une aventure plus sérieuse que les autres, mais toujours sous le contrôle d'Orsoni. C'est lui qui tire les ficelles. Il favorise l'éclosion du chef, puis entraîne sa chute et le réduit au statut de larbin, une source de revenus garantie. Catherine passe sans aucun état d'âme à sa nouvelle mission : séduire Vouvray. Il ne s'agit pas seulement de le mettre dans son lit, mais de le subjuguer pour se faire épouser. Orsoni vise désormais le sommet. Il veut avoir accès à la haute finance et aux cercles les plus fermés. Les putes, les jeux, les machines à sous, c'est fini, il a cédé ces affaires-là contre un bon pactole avant d'aller prendre ses quartiers à Sarkoland. Il ne lui reste plus que le trafic de clandestins, peu de risque sur le plan pénal et des revenus considérables…

Bien sûr, compte tenu de la tournure des événements, elle va devoir s'exiler un temps au Japon, mais… il y a pire que d'être traitée du matin au soir d'Excellence.

— Mais Iseult?

C'est sorti tout seul. Je ne comprends plus la raison de la mort de cette femme. Son amie.

— On a pris un risque. Un gros risque. Le trafic de thon. C'était de l'argent de poche facile. On a monté le coup toutes seules, dans le dos d'Orsoni… Quand il l'a appris, il m'a appliqué le code d'honneur qui, étant donné ma faute, passait par le… déshonneur.

Elle ne baisse pas les yeux. Me fixe du regard brillant des martyrs fiers d'avoir souffert pour la cause. Elle avait trahi sa confiance, elle devait payer. C'est la règle. Alors même qu'elle est « la mère de son fils unique ». Orsoni lui a infligé une journée de tapin, de « dressage » dans le jargon des macs. Pour qu'elle se souvienne encore et toujours de ce qu'elle lui doit, c'est-à-dire tout. Pendorro, sur son ordre, organise une tournante dans un hangar à moins de cent mètres de sa somptueuse demeure. Elle connaît la date et sait que la punition durera du moment où elle déposera ses garçons à l'école jusqu'à l'heure où elle ira les rechercher. Elle se rend à son supplice la tête haute. Pas question de craquer devant l'homme de main. Il assure sa protection avec deux autres gros bras. Tous trois reluquent ouvertement les scènes qui vont s'enchaîner. Elle est vendue – il n'y a pas de petit profit – à des marins de cargos en escale. Elle ignore le montant auquel elle a été estimée. Tout comme le nombre d'hommes en manque qui ont ainsi joué avec son corps. Présente sous leurs mains, mais absente, le plus possible, par la pensée. Deux putes ajustent les préservatifs en amont. Pas de dérapage, pas de violence particulière, pas de capote explosée. Et donc, à l'écouter, pas de séquelles…

Je n'ai pas besoin de la relancer sur la paternité de Rodolphe. Le troisième enfant du couple Vouvray a pour géniteur Orsoni. Il veille sur lui à distance. En attribuer la paternité à Villorgieux, dans sa confession écrite, visait à protéger Rodolphe. Le fils d'un parrain est toujours menacé. Surtout lorsque celui-ci est encore aux affaires. Or le couple illégitime n'est pas à l'abri de la découverte fortuite de son infortune par Vouvray. Un accident, une prise de sang et il sera immédiatement informé. Selon les statistiques de l'Assistance publique, 30 % des troisièmes enfants seraient adultérins. Très peu de pères, comme de géniteurs, le savent.

— Iseult, c'était aussi une punition?

— Non. À notre niveau, Orsoni a estimé avoir été trahi par moi et moi seule. Ma sanction remonte à plusieurs mois. Belkacem, en revanche, avec qui il était en affaires par ailleurs, était condamné. Il a été abattu le jour où son successeur a été trouvé. Iseult, c'est autre chose, elle a disjoncté. Elle était devenue totalement accro au pognon. L'article que s'apprêtait à sortir Saint-Gilles ne devait surtout pas mettre en cause les Rostand. Cette idiote n'a rien trouvé de mieux que d'orienter l'enquête sur mon mari et moi, pensant ainsi passer entre les gouttes. Elle était la Gorge profonde de celui qui se prenait pour le Woodward* français. J'en ai informé Spignoli.

* Bob Woodward, journaliste américain qui fit éclater le scandale du Watergate. « Gorge profonde » était le surnom donné à son informateur, ex-directeur adjoint du FBI.

C'était une vraie salope. Elle m'a laissée m'enferrer dans une relation malsaine avec lui, alors qu'elle…

Je ne lui demande pas pour Pierre. Pas la peine. J'ai compris… Elle, de son côté, a deviné. Pour la première fois, elle fait mine d'éprouver un peu de compassion :

— Saint-Gilles était votre amant, n'est-ce pas ?

— Ex-amant… C'était terminé depuis deux ans.

— On va dire que je lui ai fait découvrir la vie, avant de la lui prendre !

Chassez le naturel… Encore une formule toute faite dont elle est manifestement fière.

— Curieusement, j'ai apprécié notre premier intermède. J'ai bien vu que payer une femme n'avait rien de naturel pour lui. Ça lui donnait un côté attendrissant. Mais je n'envisageais pas de pousser l'expérience plus loin et le lui avais précisé dès le départ. Seulement, il me tenait avec la vidéo prise à mon insu, la première fois. En cas de désistement, il pouvait briser mon ménage, ma vie entière. J'avais fixé une règle financière aberrante, compte tenu de ses revenus. Il l'a toujours scrupuleusement respectée. Je suis persuadée que le jeu a changé de nature à partir du moment où Iseult est entrée en douce dans la partie. Il était devenu totalement accro à ces séances, elle le savait et se vengeait, entre autres, de l'attirance de Saint-Gilles pour moi, en le poussant à m'humilier à chaque fois davantage. Au fil des semaines, ces rendez-vous me dégoûtaient, un cauchemar auquel je n'avais aucun moyen de me soustraire… Cette vidéo, je sais que cette garce d'Iseult l'avait visionnée. Ça a dû l'exciter. Elle était à moitié frigide. Elle avait besoin d'images pornos pour parvenir à jouir. Films ou *live*. D'où partouzes et rencontres échangistes, chaque fois en présence de son mari. Masculin, féminin, peu importe avec qui elle prenait son pied, pourvu que ce soit devant lui. Sa façon à elle de rester… fidèle. Elle se targuait de n'avoir jamais trompé son Mathieu !

J'ai un sérieux doute sur la véracité des affirmations de Catherine… Aussi peu que je l'aie connue, j'ai du mal à imaginer Iseult en « Cruella peine à jouir »… Ça sent le règlement de comptes entre minettes à plein nez ! Et l'autre n'est plus là pour se défendre. Écœurante, cette façon de se dédouaner de ses actes… mais concernant Pierre, je veux savoir.

— Et avec Saint-Gilles?

— Elle l'a allumé, c'est sûr. Elle a dû le chauffer tant et plus, mais je suis presque certaine qu'ils n'ont pas fait l'amour. Elle n'aimait pas vraiment le sexe, contrairement à moi. Elle a fantasmé par procuration en suggérant à Saint-Gilles de me faire subir les « derniers outrages ». C'est elle qui le poussait à augmenter la contrainte. Elle a dû lui promettre qu'elle lui céderait quand il en aurait terminé avec moi, définitivement. Raison pour laquelle, à mon avis, il s'apprêtait à me mettre hors-jeu avec un article en grande partie mensonger. À propos d'article, j'ai gardé un exemplaire du récit de mon premier rendez-vous dans le rôle de « Belle de jour ». Comme, d'ailleurs, de la confession que vous avez lue. Ça pourrait servir de base à un roman. Je vais avoir du temps libre au Japon, vous savez ! On l'écrira à quatre mains. Avec le Net, c'est facile. C'est moi qui serai l'auteur, bien sûr. Mais en tant que femme d'ambassadeur, vous comprendrez aisément qu'un prête-nom me sera nécessaire… Un pseudo en chair et en os, pour assurer à ma place la promotion de ce futur best-seller. C'est une aventure passionnante pour une petite journaliste comme vous ! La diplomatie, la haute finance internationale sont des milieux auxquels vous n'aurez jamais accès…

— C'est une idée à creuser.

Tout plutôt que rester ici cinq minutes de plus !

Catherine me désigne la porte avec le canon du pistolet. Elle assiste en silence à mon rhabillage. Je mets un temps fou, m'énerve sur mes vêtements qui refusent de glisser correctement sur mon corps humide… Je serai ridicule jusqu'au bout !

Elle me raccompagne à la porte du garage. Me tend la main gauche pour conclure le « pacte ».

— Vous avez une carte de visite ? Pour avoir votre adresse mail.

Dans la main droite, elle tient toujours son arme braquée sur moi.

La vérité est plurielle

F-I-N.

Le simple fait de taper ces trois lettres sur le clavier me procure un réel soulagement. L'exercice imposé par Catherine s'achève, au bout de neuf mois, par un point... de non-retour. L'accouchement du roman de sa vie ne m'intéresse pas. Même si j'en suis l'auteur, je ne le signerai pas. Il sortira sous son nom de jeune fille.

L'année qui vient de s'écouler, les longues discussions avec Catherine m'ont servi de thérapie. Pierre est définitivement rangé au rayon des souvenirs. J'ai avancé, enfin. Un autre homme tient désormais le premier rôle dans ma vie... et le travail qui s'achève y est pour beaucoup. Ce qui m'apparaissait au départ comme un pensum est devenu, au fil des jours, un plaisir. Celui de l'écriture – avec deux doigts. Je me suis prise au jeu. Jeu de mes mots et de ses sentiments.

Liaison dangereuse: le titre souhaité par Catherine est parfaitement approprié. Il résume le millefeuille des rencontres qui ont jalonné la vie de cette femme hors du commun. Elle n'ignore pas que le roman de Laclos, tableau des mœurs dissolues de la noblesse à la veille de la Révolution, a donné lieu à de nombreuses adaptations à l'écran. Mais il est tombé dans le domaine public, d'où sa prétention. Je doute fort que l'éditeur accepte: trop célèbre, trop connoté. Même en mettant, comme elle le suggère, les deux mots au singulier. Je parie que le directeur de collection imposera une formule plus racoleuse, du type *L'Ambassadeur, la Pute et le Parrain*… Son seul objectif à lui, c'est de sortir un best-seller et d'être dans les temps.

Catherine s'est racontée, à raison d'une heure tous les quinze jours. Des entrevues où chaque minute était comptée et durant lesquelles j'ai rempli des cahiers entiers de notes. Une fois rentrée ici, je les retranscrivais sur ordi. Une double peine… Ce n'est qu'après cet exercice fastidieux que l'écriture pouvait commencer. Chaque matin, de 5 à 7, avant de filer au journal et d'entamer ma seconde journée…

Ciseler les phrases, trouver le mot juste, éviter les répétitions, chercher un style personnel est passionnant mais épuisant. Je ne me fais aucune illusion, la critique ne consacrera pas trois minutes à la lecture de ce qui lui paraîtra relever du domaine de la biographie sulfureuse. Les faits-diversiers, eux, seront comblés, mais ils ne s'attarderont pas sur les qualités de plume. Il n'empêche, ce coup d'essai a fait naître une vocation. Je sais que, demain matin à 5 heures, je serai devant une page blanche ouverte sur mon écran. Une nouvelle aventure… Pour mon compte, cette fois!

De mon côté, j'ai scrupuleusement respecté le contrat. L'éditeur acceptait de jouer le jeu, à condition que le livre sorte au moment du procès. Ce sera le cas. L'avocat de Catherine se rend demain aux Baumettes avec le texte définitif. Si elle le valide, on sera dans les temps. Elle comparaît aux assises dans trois semaines. Son but est atteint: influencer l'opinion publique. Les jurés, peut-être même les juges, compte tenu du battage d'ores et déjà orchestré autour du livre, se seront sans doute déjà fait une idée sur l'accusée. Je ne couvrirai pas les audiences, qui s'annoncent très médiatisées. Je me suis mise en congé…

Arrestation

Le manuscrit de Catherine commence par sa chute. Je soupçonne une manœuvre de son avocat pour tenter de soulever des vices de procédure liés à son interpellation. Un banal contrôle routier aux lueurs de l'aube, tandis qu'elle rentre d'une soirée. Elle n'a pas fait d'entorse au code de la route et, quoique agacée, se plie avec sérénité à l'éthylotest. Lequel vire instantanément au vert. Dès lors, le règlement prévoit qu'elle soit amenée au poste pour une prise de sang et le véhicule laissé sur place. Impensable : la Jaguar type E de Maximilien serait désossée avant la fin de la nuit !

Elle tente alors plusieurs manœuvres pour amadouer les flics. Elle commence par jouer la maman éplorée, « de retour d'une soirée entre copines, l'heure tardive, les enfants laissés sous la surveillance d'une baby-sitter… ». Face à elle, trois fonctionnaires obtus, dont une femme. Catherine, en quête de compréhension, mise tout sur elle… Peine perdue ! C'est la plus inflexible… Elle passe alors au registre de l'intimidation, sur l'air de : « Vous savez qui est mon mari ? » Non seulement ça ne sert à rien, mais ça n'aboutit qu'à les braquer davantage. Elle doit se soumettre à la palpation réglementaire. Une formalité, Catherine n'est vêtue que d'une robe courte, de Dim Up et de talons aiguilles. La fonctionnaire qui s'en est chargée brandit un sachet de poudre blanche et lance, triomphante :

— Il était glissé sous l'élastique d'un de ses bas, à l'intérieur de la cuisse droite !

Faux. Archi-faux. Catherine ne se drogue pas, ne s'est jamais droguée. Le ton monte. Excédée, elle finit par gifler la policière qui lui lit ses droits sans se départir d'un calme olympien. Catherine est menottée et emmenée immédiatement à l'Évêché. Invitée à se déshabiller devant trois gardiennes en uniforme, elle reste nue, debout, durant un temps qui lui paraît interminable. Puis c'est la fouille « au corps ». « Dans le corps » est la terminologie plus adéquate que le code pénal aurait dû employer afin que le justiciable ait conscience de ce qui l'attend. La bonne femme vulgaire et grasse missionnée pour cette tâche prend tout son temps. Humiliée, revêtue de sa seule robe, pieds nus, Catherine est ensuite placée en cellule de dégrisement.

— Pas de bas, tu pourrais te pendre. Et le talon de tes chaussures est trop pointu. Tu pourrais t'en servir pour tenter de te défigurer.

Arguments grotesques, mais qui la condamnent à passer le reste de la nuit à grelotter. Le sol en ciment de la cellule suinte d'humidité et elle refuse de s'asseoir sur l'immonde matelas en mousse qui tient lieu de banquette. À ce stade, sa seule angoisse est de n'avoir pu prévenir Cathy, l'amie chez qui ses enfants passent la nuit. Contrairement à ce qu'elle a affirmé à la patrouille, il n'y a jamais eu de baby-sitter. Son téléphone a été confisqué. Elle a eu beau hurler qu'elle a droit à un coup de fil, personne ne daigne lui répondre. Au petit matin, à l'heure de la relève, nouvelle fouille, sous prétexte que la précédente n'a pas été inscrite au registre.

En retranscrivant mes notes sur la garde à vue de Catherine, j'ai eu l'impression de recopier le livre de

Frédéric Beigbeder racontant la sienne, récit qui avait suscité une attaque en règle contre cette procédure par certains défenseurs des droits de l'homme. Catherine n'a lésiné sur aucun détail intime, aucune vexation subie. Et je sais qu'elle l'a fait sciemment, au détriment de toute pudeur, dans l'idée de mettre le lecteur de son côté, mais aussi de provoquer un nouveau débat médiatique sur cette question…

À peine rhabillée, elle est amenée dans une salle d'interrogatoire. Un enquêteur de la criminelle lui brandit sous le nez un P25 retrouvé dans la boîte à gants de la Jaguar. Au vu de son dossier, possession de drogue et rébellion à agents, le procureur de permanence a autorisé la perquisition du véhicule. Dans le livre, Catherine se limite au factuel. Elle ne fait aucun commentaire. C'est à ce moment-là, pourtant, qu'elle prend conscience d'une machination. Depuis son arrivée à l'hôtel de police, elle pensait être victime d'une petite vengeance de la patrouille. Le sachet de dope, c'était pour lui coller un délit mineur en raison de son arrogance, et les fouilles répétées à cause de la gifle. Mais le pistolet, c'est autre chose. Il ne pouvait être dans la voiture ! Il se trouvait chez elle, dans la bibliothèque du salon, qui plus est dans une cache connue d'elle seule !

Guet-apens

Cette machination, Catherine n'en fait pas mention dans ses mémoires. Tout comme elle se garde bien de révéler ses frasques sexuelles. L'urgence de vivre s'est emparée d'elle. Une « vanité » est d'ailleurs apparue à son poignet gauche, une petite tête de mort en bois tenue par un cordon. Une babiole à 10 euros qui détonne dans son milieu. Les événements dans lesquels elle a trempé, le nombre de cadavres autour d'elle, le fait d'aller rejoindre Vouvray au Japon dans les semaines à venir et d'endosser le statut de « femme d'ambassadeur », autant de facteurs qui peuvent expliquer son changement de comportement, auquel s'ajoute l'élément déterminant : « Le chat n'est pas là… » Et donc elle peut donner libre cours à sa passion de la… danse, profiter de ses ultimes jours de liberté. Elle sait qu'une fois expatriée elle n'en aura plus l'occasion.

Chaque soir, elle confie ses enfants à sa meilleure amie. Son double, ou plutôt sa « moitié », si l'on en juge par sa beauté, son charme, son intelligence et jusqu'à son « demi-prénom » : Cathy ! Pas de descendance, plus de mari, un amant – et encore, par intermittence. Si Cathy connaît tout de son libertinage nocturne, les trois enfants, eux, ne se doutent de rien. Catherine est présente à leur coucher et à leur lever, les accompagne à l'école comme si de rien n'était. Ensuite, elle rentre chez elle pour dormir. Ces virées, version « enterrement de vie de jeune fille », la couguar n'a le loisir de les réaliser que trois soirs de suite. Son terrain de chasse est le Perroquet bleu, une des plus anciennes boîtes de nuit de Marseille, transformée en bar branché. Elle s'y rend avec la perle de Maximilien, sa Jaguar type E. L'arrivée au volant de ce coupé décapotable rarissime suffit à hypnotiser les hommes. Et quand elle s'installe devant le comptoir, c'est un prétexte tout trouvé pour l'aborder. Elle n'a plus qu'à jeter son dévolu sur le mâle qu'elle sent le plus apte à lui donner du plaisir. Pour cela, elle le teste au sous-sol, où un DJ met le feu. Le déhanchement, la façon de bouger, le sens du rythme sont autant d'indicateurs, sans parler des vertus du frôlement et des phéromones que dégagent les corps dans ces lieux confinés. Tous ses capteurs sont en alerte. Ce qui n'empêche pas pour autant les erreurs de casting…

Ainsi, la première nuit, elle se mêle à une bande de jeunes. Ça se termine par une pseudo-partouze dans un studio d'étudiants, minable, avec des corps juvéniles mais trop pressés, inexpérimentés, les neurones et le reste ramollis par la fumette. En les quittant, elle se jure de ne plus jouer à la maîtresse… d'école. C'est, du moins, le récit qu'elle en fait à son amant du soir suivant. Un bel homme, intuitif, amusant et léger. La quarantaine à peine, excellente éducation, un vaste appartement à la décoration sobre et de bon goût, situé à quelques minutes du club. Un célibataire endurci qui assume ses conquêtes et le plaisir que lui procurent ces rencontres d'un soir… ou deux. Sans promesse ni projet… Bref, le jouet idéal pour Catherine, en adéquation avec son état d'esprit du moment. Outre ses qualités d'amant, il excelle dans la préparation de cocktails détonants à base de vodka. Heureuse coïncidence, c'est l'alcool préféré de Catherine. C'est en sortant de son appartement au petit jour, après une seconde nuit dans ses bras, qu'elle tombe sur le contrôle de police.

Ce qu'aujourd'hui encore elle ne soupçonne pas, c'est la complexité de l'opération montée pour la confondre…

Choix cornélien

Le jour de la venue du ministre, je sors du bureau de Paoli après avoir retouché son « communiqué officiel ». Sans que je m'en rende compte, le commissaire me fait suivre jusque chez Catherine. Son équipe prend des photos au téléobjectif. Lorsque je la quitte sur le pas de sa porte, l'arme apparaît distinctement dans sa main droite. La présence du P25 sur ces clichés est pour Paoli la confirmation de ma version de l'histoire. D'autant que, dans le même temps, il est allé rendre visite à Arnaud. Compte tenu des réseaux d'influence de Catherine de Vouvray, le patron de la crim décide de passer à l'action sans en référer à quiconque et d'enfreindre toutes les règles pour que justice soit rendue.

Arnaud de Guiche, *alias* Max, sera le fixeur. Son physique joue en sa faveur. Je n'ai jamais réussi à lui faire raconter ces deux nuits avec Catherine « à l'insu de son plein gré ». Connaissant les talents de la dame, vidéos à l'appui, je me doute que ce rôle de composition n'a pas dû avoir que des aspects désagréables. Leur deuxième rendez-vous est l'occasion pour Paoli et ses hommes de tendre la souricière. Trouver le pistolet, grâce aux moyens dont ils disposent, prend peu de temps. La maison est vide, ils savent qu'ils ne seront pas dérangés. Un objet métallique, même petit, se détecte assez facilement au spectromètre de masse. Le plus délicat a été d'incorporer un agent de la crim à la patrouille de nuit sans éveiller de soupçons. Une femme, pour que la palpation puisse avoir lieu. Le tour de passe-passe avec le sachet de blanche a été un jeu d'enfant, sans parler de celui qui a consisté à déposer le joli petit pistolet nickelé dans la boîte à gants… Pistolet qui ne sera découvert que le lendemain par deux policiers des stups dûment mandatés, de sorte qu'aucun lien ne puisse être fait avec la crim. Paoli ira jusqu'à faire mine de tomber des nues quand l'enquête sur le meurtre de Saint-Gilles rebondira si fortuitement…

Le traitement particulier réservé à Catherine durant sa nuit à l'Évêché n'avait pour but que de l'affaiblir psychologiquement. L'arme correspond à celle qui a tiré les deux balles sur Pierre et les seules empreintes relevées dessus sont les siennes. Plus inattendu, ce même P25 a déjà été utilisé dans le passé pour le meurtre de Bastiani, l'amant de ses dix-sept ans. À cette annonce, Paoli, qui a tenu à l'interroger en personne, voit cette femme, hautaine et fière malgré les heures qui viennent de s'écouler, se décomposer. Elle balbutie :

— Ce pistolet n'était pas à moi à l'époque. Il… il me l'avait offert. Pour mes vingt ans…

— Il ? C'était qui ?… Orsoni ?

Sachant que l'interrogatoire est enregistré, Jean-Louis ne repose pas sa question. Il se contente de lui rappeler qu'à ce stade l'enquête oscille entre deux pistes. Le premier scénario qu'il lui soumet est le suivant : l'arme lui a été donnée récemment. Elle n'aura donc à répondre que du meurtre de Saint-Gilles. Un crime passionnel, de toute évidence. Mortifiée par les propos de son amant au cours d'un jogging, elle l'a rejoint le lendemain sur le même parcours pour le convaincre une dernière fois. Nouvelle discussion houleuse, extrêmement blessante. Aveuglée par la colère, elle est revenue prendre la petite arme de défense dans sa voiture. Pistolet toujours placé dans la boîte à gants quand elle sortait. Dans un état second, elle a recroisé la route de Saint-Gilles et fait feu en pleine course. Les enquêteurs, appuyés par les psychiatres, témoigneront que le deuxième coup tiré dans le bas-ventre illustre la rage qui l'habitait et la pulsion castratrice. Qu'elle ait conservé l'arme, sans chercher à s'en débarrasser, prouve qu'il n'y a pas eu préméditation… Version crédible. Les policiers disposent d'un petit extrait sonore. Un enregistrement sur le portable de Saint-Gilles qui s'est déclenché, fortuitement, durant la course. On entend distinctement la déclaration d'amour de Catherine et sa réponse cinglante, humiliante et immorale. Avec un bon avocat, elle en prendra pour huit ans et restera enfermée moins de cinq, compte tenu des remises de peine et du profil de son mari. J'ai tiqué lorsque Jean-Louis m'a cité le passage qu'il a finalement conservé de l'enregistrement. Mais Catherine de Vouvray n'était plus sa priorité. Ils avaient conclu un pacte.

Si, en revanche, ce pistolet ne lui a pas été offert par Orsoni, elle se retrouve avec deux meurtres sur le dos. C'est la seconde piste possible pour les enquêteurs. « La perpète et une peine incompressible », a conclu Paoli d'un air détaché.

THÈSE

« Quand le commissaire m'informa que le pistolet offert par Mattéo Orsoni avait servi à tuer mon amour de jeunesse, je compris à quel point cet homme m'avait abusée et manipulée. » Le premier chapitre de son livre campe les personnages principaux. Orsoni est le mal incarné. Catherine, la victime apeurée. Je savais que ce récit, loin de refléter la complexité de leur relation, n'était qu'une mise en scène. Ça ne collait pas avec la conversation que nous avions eue au hammam, alors qu'elle était enivrée de sa toute-puissance… J'ai été déçue par cette posture. J'aurais préféré que cette femme demeure le personnage fort et flamboyant que je m'étais imaginé. Mais j'avais accepté de jouer le jeu. Je ne me livrais pas à une enquête, j'étais juste son nègre ! À ce titre, mon seul travail consistait à éviter les incohérences et à améliorer la forme.

C'est donc une nouvelle version de sa vie, la troisième à ma connaissance, que j'ai couchée sur le papier. L'« officielle », qui doit lui permettre de bénéficier de la compassion du jury. On y apprend que son amour de jeunesse, un dénommé Bastiani, petit caïd des Catalans, est abattu sous ses yeux par le passager d'une moto. Son lieutenant fait main basse sur tout l'héritage, femme comprise, et la met au tapin dans une boîte du Vieux-Port. C'est à cette période qu'elle rencontre Orsoni. Ce dernier, en souvenir de Bastiani, corse comme lui – « un ami, un vrai », lui avait-il juré main sur le cœur –, la sort de ce rade, la prend sous sa protection et l'oriente vers la vie facile et la luxure parisienne. S'il lui demande parfois des « services », il ne relève pas le compteur. « J'étais sa chose, mais il n'était pas mon mac. »

La version que m'a donnée Paoli, et qui ne figure pas dans le livre, est quelque peu différente. C'est Orsoni qui a assassiné le jeune truand, afin d'empêcher l'éclosion de ce rival en puissance. Il en a profité pour reprendre ses affaires via un homme de paille et grimper dans l'échelle sociale du Milieu marseillais. Ce fut son premier fait d'armes notable. C'est au cours des conversations avec le commissaire que Catherine a pris progressivement conscience de la personnalité machiavélique de celui qu'elle avait longtemps considéré comme son grand amour. Ainsi, après la mort de Bastiani, il lui a fait cadeau du pistolet pour se débarrasser de l'arme et se couvrir. En cas de problème, c'est elle, la maîtresse notoire du jeune caïd, qui aurait été accusée. Elle réalise qu'elle a été manipulée par Orsoni dès le premier jour et dans tous les aspects de sa vie, même ceux qui lui sont le plus chers. Elle est par exemple arrivée à la conclusion que Mattéo ne lui a fait un enfant que pour continuer à avoir prise sur elle… encore et toujours !

Résultat, dans le roman de sa vie, jamais Catherine ne laisse transparaître le moindre sentiment amoureux envers Orsoni. Le lecteur n'y apprendra pas, par exemple, qu'elle s'est fait tatouer un « O » par amour pour lui, ni surtout qu'il est le père du troisième fils Vouvray. Rodolphe apparaît dans le livre comme le fils de Maximilien. Elle sait par expérience qu'il est des fautes avouées jamais pardonnées. Le seul sentiment qu'elle laisse transparaître au fil des pages est la crainte. Elle obéit aux ordres du parrain, quels qu'ils soient, sans jamais poser de question. Et s'il lui arrive de passer dans son lit, c'est moins par plaisir que par peur des représailles si elle ne s'exécute pas. Son mariage y a mis un terme. Afin de rester crédible, elle ne joue pas pour autant les Cosette et reconnaît que sa jeunesse, grâce à lui, fut loin d'être un enfer quotidien. Elle a toujours aimé le luxe et l'opulence, n'a jamais connu de fins de mois difficiles, malgré un train de vie dispendieux.

Concernant son histoire avec Villorgieux, Catherine reprend la version du texte laissé sur son ordinateur. Du moins, pour la première partie de leur aventure car ensuite, retour du « diable » : Orsoni, bien sûr. Après avoir facilité l'ascension du cuisinier, il organise sa chute avec une seule idée en tête : capter son affaire et son savoir-faire. « Pour que je ne puisse pas faire ma vie avec lui », me fait-elle écrire. Je suis sûre qu'elle se réjouit du tort supplémentaire que cette révélation va faire à l'« ex-étoilé », toujours marié. Il a déjà perdu son patron – Orsoni est en prison depuis près d'un an – et le luxueux restaurant dans lequel il officiait a été mis à l'encan, comme tous les biens du parrain déchu. Villorgieux, contraint de repartir de zéro, est en cuisine dans un petit bistrot parisien où son nom et sa réputation attirent encore les clients. Bref, il est en train de refaire sa vie, ce qui doit passablement exaspérer Catherine derrière ses barreaux…

Villorgieux ne sera pas le seul à être sali par toutes ces affaires. Avec le procès et les inévitables déballages intimes dont ne vont pas manquer de se délecter certains médias, j'en connais quelques-uns, ou quelques-unes, qui vont déchanter. Marie-Eugénie, par exemple ! Passé le veuvage, la femme de Pierre va devoir affronter la vie cachée de son « époux », supporter les commentaires et le mépris de son entourage. Je lui souhaite bien du plaisir… Chacune son tour. Aucune compassion.

Sur Maximilien de Vouvray, Catherine, là encore, réécrit l'histoire. Plus question d'être une « Diane chasseresse ». « L'Amour, le vrai, avec un grand A, lui tombe dessus et triomphe de tous les obstacles liés à sa vie passée. » Elle a tenu à ce que cette formule « gnangnan », digne de la collection Harlequin, figure telle quelle dans sa bio. Il est vrai qu'elle vise un lectorat de ménagères et d'adeptes de la télé-réalité. Dans ce chapitre, elle en fait des tonnes, à grands coups de superlatifs. Sans doute dans l'espoir secret de reconquérir son mari. Depuis qu'elle est enfermée, l'ambassadeur ne lui a pas rendu une seule visite, mais il lui a choisi pour avocat un ténor du barreau. Cathy, la « meilleure amie », a tout mis en œuvre pour prendre la place laissée vacante à ses côtés. C'est elle qui a accompagné les enfants au Japon. Elle encore qui l'a mis au courant des soirées de débauche précédant l'arrestation de son épouse. Catherine est tombée de haut. Elle se méfiait des hommes, mais pensait avoir de vraies amies. Jusqu'à son isolement forcé, source de réflexion, voire d'introspection, elle ne s'était jamais interrogée sur les sentiments réels de ces femmes toujours placées dans son ombre, reléguées au rôle de faire-valoir. Un espoir toutefois demeure : Vouvray a éconduit l'ersatz !

Sur ses relations avec Orsoni, qui ont perduré malgré la protection que lui procurait le nom de Vouvray, le livre explique qu'il a toujours gardé prise sur elle, car témoin et grand ordonnateur de son passé. Il n'y a pas de commune mesure entre épouser une étudiante, hôtesse de nuit dans une boîte huppée, et donner sa particule à une poule de luxe, version Mme Claude, réchappée d'un bouge marseillais. Aussi, quand le parrain, à la manière des taupes dormantes dans les romans d'espionnage, la réactive et lui demande de collaborer avec le couple Rostand, elle le fait. Sous sa plume, cela devient « je suis contrainte d'accepter », suivi de cinq pages sur la nature de ladite contrainte, morale, psychologique et pour finir physique. Impossible de savoir ce qui relève de la mythomanie et de la réalité. J'en ai la confirmation une fois de plus avec la scène du hangar, sur le port. Nouveau public, nouvelle version, plus hard : elle affirme maintenant qu'aux côtés de Spignoli et Pendorro, le troisième homme n'était autre qu'Orsoni. Comme elle se refuse à trahir Maximilien, elle sera… violée.

Orsoni dément formellement, mais face à l'opinion, ce sera parole de truand contre parole de victime. Et Spignoli n'est plus là pour arbitrer. Il a été retrouvé pendu dans sa cellule le jour de l'arrestation de Catherine. Quant à Pendorro…

Autre viol raconté en détail dans ses mémoires, celui en réunion après la découverte du trafic de thons. Entreprise dont elle attribue la seule paternité à Iseult de Rostand, qui n'a fait que dupliquer le commerce des êtres humains. Catherine, elle, s'est bornée à trouver l'acheteur japonais. Son martyre ne peut qu'accentuer l'empathie du lecteur et le dégoût pour le « pervers sadique », bien loin du mythe doré des parrains marseillais…

Orsoni, lors de ses interrogatoires, a farouchement nié la nature même de la punition, mais aussi être impliqué dans les meurtres de Saint-Gilles, d'Iseult ou encore de Belkacem. Une thèse qui peut paraître surprenante, mais à laquelle adhère Arnaud de Guiche.

ANTITHÈSE

Sur le site Internet qui l'emploie désormais comme journaliste, il explique qu'Orsoni était à Pékin pour préparer la tentative d'OPA sur la Compagnie du Levant avec un consortium bancaire chinois. Une opération conçue dès les premières semaines de la crise des *subprimes*, quand il est apparu évident que le ralentissement de l'économie mondiale allait avoir des répercussions sur les entreprises de transport. Au premier rang, l'armateur français, dont les lignes les plus rentables desservaient l'Empire du Milieu. Orsoni, dans l'attaque qui se profilait, avait pour nom de code « Ulysse ». Il avait accepté de mettre fin au trafic de clandestins, très juteux mais trop risqué, contre une place au conseil d'administration et une part du capital.

Toujours selon Arnaud, les révélations de Saint-Gilles, loin de gêner Orsoni, faisaient partie du plan machiavélique. L'objectif était de déstabiliser un peu plus la gouvernance de l'entreprise. La divulgation du trafic allait jeter l'opprobre sur l'armement. Dans cette société au capital verrouillé par une famille, une OPA boursière était impossible. Il n'y avait pas d'autre solution pour s'en emparer que d'inciter les banques créancières et l'État caution à abandonner le navire. Personne ne pourrait croire qu'un tel trafic ait pu avoir lieu au nez et à la barbe du « Suédois », patron mégalo et tout-puissant. La première partie de l'attaque a d'ailleurs parfaitement fonctionné, puisque le gouvernement a immédiatement évacué son représentant, Maximilien de Vouvray, afin de ne pas risquer d'être éclaboussé par le scandale qui s'annonçait.

Le grain de sable de cette manip de grande envergure est venu de l'équipe d'Orsoni elle-même, que le parrain, d'un cynisme achevé, s'apprêtait à passer par pertes et profits… y compris Catherine. Sans nouvelles, sans consignes et sans ordres, ses hommes de main ont agi au mieux des intérêts du boss, pensaient-ils, et par là même des leurs. D'où la tentative de Catherine de contrôler Saint-Gilles et sa décision de l'abattre quand elle comprend qu'il est déterminé à sortir l'affaire. D'où Pendorro et Spignoli qui font le ménage dans la foulée, persuadés que les fuites proviennent d'Iseult…

Le meurtre de Belkacem, lui, était déjà programmé. Ils venaient d'apprendre que le patron pêcheur avait monté un trafic de thons dans leur dos. Or rien sur le port ne devait échapper à leur racket pour le compte d'Orsoni. L'arrestation de « l'empereur des quais », mise en scène par le gouvernement, a sifflé la fin des grandes manœuvres financières. De ce côté-là, retour à la case départ.

Synthèse

Pour moi aussi, d'une certaine manière… Je suis dans la pièce rouge. Une clause introduite par Pierre prévoyait qu'en cas de décès la SCI revenait à l'associé survivant. Lorsqu'il avait créé cette société en vue d'acheter l'appartement, Pierre m'avait attribué une part. Un de ses fameux gages en espèces sonnantes et trébuchantes que je détestais. Sa façon à lui de dire les choses. Ainsi il avait continué à m'« aimer », lui qui répétait à l'envi que ce « gros verbe », en référence aux « gros mots », n'existait pas dans son vocabulaire. Ayant érigé le mensonge en art de vivre, il avait été fauché en pleine course par le mensonge des autres.

Je suis donc ici chez moi. Rien n'a changé. Le souvenir de Pierre y plane toujours. Loin de me déranger, cela me rassure. Le besoin, aussi, de savoir que notre aventure, restée secrète, a réellement existé. Il m'arrivait d'en douter.

La collection de nus est toujours accrochée au mur. Parmi eux, le tableau me représentant. J'utilise notre ex-garçonnière comme bureau. En fond sonore, une radio locale, au cas où. À cette heure-ci, je suis censée être au journal. Si une grosse actu tombe, j'en serai informée en direct et foncerai immédiatement à la rédaction. Mais le scoop, si tant est qu'il y en ait un, sera aujourd'hui pour moi. Pas pour Arnaud de Guiche. Je le recueillerai ici, grâce à mon homme. Ç'aurait pu être Arnaud. Il a tenté sa chance le même jour que Jean-Louis. Deux SMS, deux invitations à dîner… Au « confrère stagiaire arriviste », j'ai préféré le « flic chevronné attentionné ». Peut-être, inconsciemment, à cause des deux nuits qu'Arnaud a passées avec Catherine, même s'il a agi « sur ordre ».

Avec Paoli, nous vivons une belle histoire. J'ai réappris à faire confiance, redécouvert la tendresse, le rire et le plaisir de vivre. Est-ce là ce que d'aucuns appellent l'amour ? Je ne sais pas, je ne sais plus… encore un héritage de Pierre. Mais je suis bien.

Nous écrivons ici articles, rapports et livre, côte à côte. Passons des heures entières à discuter en buvant du bourgogne, assis dans le canapé. Dans ce lieu, jamais nos doigts ne se sont effleurés ni nos lèvres frôlées. Par accord tacite, nous nous cantonnons ici aux choses de l'esprit. Je l'attends, d'ailleurs, « le commissaire »… Il a tenu à accompagner Catherine lors de sa première confrontation avec Orsoni devant le juge. Un quitte ou double, car l'enquête sur le parrain piétine. Le dossier d'instruction, à en croire mon amant, est pratiquement vide. Aucune preuve n'a pu être apportée contre le truand, y compris sur l'origine du pistolet. C'est parole contre parole. Résultat : à ce jour, seule Catherine est certaine de comparaître devant les assises pour meurtre. Jusqu'à présent, Orsoni a toujours refusé cette confrontation. Comme si le simple fait de croiser le regard de cette femme le dérangeait. Vu la trempe et la repartie du bonhomme, c'est le seul motif plausible pour expliquer cet entêtement. Face aux enquêteurs, il a eu réponse à tout et je n'imagine pas « Orsoni Mattéo » en mauvaise posture face à « Vouvray Catherine de », comme les appelle Jean-Louis quand il évoque l'affaire, même entre nous.

J'ai préparé un apéro et une bouteille de champagne, au cas où… Orsoni a peut-être craqué ?

Un flash spécial sur France Bleu Provence… On l'apprend à l'instant, un attentat à la voiture piégée vient de se produire à Marseille, aux abords du palais de justice. L'explosion a eu lieu à l'arrivée d'un fourgon cellulaire escorté par un véhicule de police… Selon les premiers témoignages, il y aurait de nombreuses victimes. Dès que nos journalistes seront sur place, antenne ouverte et priorité à l'information…

Table

Remerciements

À Edmond Zuchelli, Lydia Delort, Dominique Bluzet, Anne-Laure Dagnet, Yves Armenak, Éric Amado, mes premiers lecteurs vigilants.

À Bernard Pesce, Caroline Contoz, Jean-Claude Sarpi, Cécile Vaccaro, Irène de la Barre de Nanteuil, Reda Merad, Corrine Blotin, Olivier Martocq, F.O.G. pour leur implication directe ou pas…

À ceux qui m'ont fait bénéficier d'informations précieuses ou de leur talent. Ils se reconnaîtront : un journaliste ne cite jamais ses sources.

CHEZ LE MÊME ÉDITEUR

1. Roger CARATINI, Hocine RAÏS, *Initiation à l'islam.*
2. Antoine BIOY, Benjamin THIRY, Caroline BEE, *Mylène Farmer, la part d'ombre.*
3. Pierre MIQUEL, *La France et ses paysans.*
4. Gerald MESSADIÉ, *Jeanne de l'Estoille.* I. *La Rose et le Lys.*
5. Gerald MESSADIÉ, *Jeanne de l'Estoille.* II. *Le Jugement des loups.*
6. Gerald MESSADIÉ, Jeanne de l'Estoille. III. *La Fleur d'Amérique.*
7. Alberto GRANADO, *Sur la route avec Che Guevara.*
8. Arièle BUTAUX, *Connard !*
9. James PATTERSON, *Pour toi, Nicolas.*
10. Amy EPHRON, *Une tasse de thé.*
11. Andrew KLAVAN, *Pas un mot.*
12. Colleen MCCULLOUGH, *César Imperator.*
13. John JAKES, *Charleston.*
14. Evan HUNTER, *Les Mensonges de l'aube.*
15. Anne MCLEAN MATTHEWS, *La Cave.*
16. Jean-Jacques EYDELIE, *Je ne joue plus !*
17. Philippe BOUIN, *Mister Conscience.*
18. Louis NUCÉRA, *Brassens, délit d'amitié.*
19. Olivia GOLDSMITH, *La Femme de mon mari.*
20. Paullina SIMONS, *Onze heures à vivre.*
21. Jane AUSTEN, *Raison et Sentiments.*
22. Richard DOOLING, *Soins à hauts risques.*
23. Tamara MCKINLEY, *La Dernière Valse de Mathilda.*
24. Joyce Carol OATES, *Double diabolique.*
25. Édith PIAF, *Au bal de la chance.*
26. Jane AUSTEN, *Mansfield Park.*
27. Gerald MESSADIÉ, *Orages sur le Nil.* I. *L'Œil de Néfertiti.*
28. Jean HELLER, Mortelle Mélodie.

29. Steven PRESSFIELD, *Les Murailles de feu.*
30. Jean-Louis CRIMON, Thierry SÉCHAN, *Renaud raconté par sa tribu.*
31. Gerald MESSADIÉ, *Orages sur le Nil.* II. *Les Masques de Toutankhamon.*
32. Gerald MESSADIÉ, *Orages sur le Nil.* III. *Le Triomphe de Seth.*
33. Choga Regina EGBEME, *Je suis née au harem.*
34. Alice HOFFMAN, *Mes meilleures amies.*
35. Bernard PASCUITO, *Les Deux Vies de Romy Schneider.*
36. Ken MCCLURE, *Blouses blanches.*
37. Colleen MCCULLOUGH, *La Maison de l'ange.*
38. Arièle BUTAUX, *Connard 2.*
39. Kathy HEPINSTALL, *L'Enfant des illusions.*
40. James PATTERSON, *L'amour ne meurt jamais.*
41. Jean-Pierre COLIGNON, Hélène GEST, *101 jeux de logique.*
42. Jean-Pierre COLIGNON, Hélène GEST, *101 jeux de culture générale.*
43. Jean-Pierre COLIGNON, Hélène GEST, *101 jeux de langue française.*
44. Nicholas DAVIES, *Diana, la princesse qui voulait changer le monde.*
45. Jeffrey ROBINSON, *Rainier et Grace.*
46. Alexandra CONNOR, *De plus loin que la nuit.*
47. BARBARA, *Ma plus belle histoire d'amour.*
48. Jeffery DEAVER, *New York City Blues.*
49. Philippe BOUIN, *Natures mortes.*
50. Richard NORTH PATTERSON, *La Loi de Lasko.*
51. Luanne RICE, *Les Carillons du bonheur.*
52. Manette ANSAY, *La Colline aux adieux.*
53. Mende NAZER, *Ma vie d'esclave.*
54. Gerald MESSADIÉ, *Saint-Germain, l'homme qui ne voulait pas mourir.* I. *Le Masque venu de nulle part.*

55. Gerald MESSADIÉ, *Saint-Germain, l'homme qui ne voulait pas mourir.*
II. *Les Puissances de l'invisible.*
56. Carol SMITH, *Petits Meurtres en famille.*
57. Lesley PEARSE, *De père inconnu.*
58. Jean-Paul GOURÉVITCH, *Maux croisés.*
59. Michael TOLKIN, *Accidents de parcours.*
60. Nura ABDI, *Larmes de sable.*
61. Louis NUCÉRA, *Sa Majesté le chat.*
62. Catherine COOKSON, *Jusqu'à la fin du jour.*
63. Jean-Noël BLANC, *Virage serré.*
64. Jeffrey FOX, *Les 75 Lois de Fox.*
65. Gerald MESSADIÉ, *Marie-Antoinette, la rose écrasée.*
66. Marc DIVARIS, *Rendez-vous avec mon chirurgien esthétique.*
67. Karen HALL, *L'Empreinte du diable.*
68. Jacky TREVANE, *Fatwa.*
69. Marcia ROSE, *Tout le portrait de sa mère.*
70. Jorge MOLIST, *Le Rubis des Templiers.*
71. Colleen MCCULLOUGH, *Corps manquants.*
72. Pierre BERLOQUIN, *100 jeux de chiffres.*
73. Pierre BERLOQUIN, *100 jeux de lettres.*
74. Pierre BERLOQUIN, *100 jeux de déduction.*
75. Stuart WOODS, *Un très sale boulot.*
76. Sa Sainteté le DALAÏ-LAMA, *L'Art de la sagesse.*
77. Andy MCNAB, *Bravo two zero.*
78. Tariq RAMADAN, *Muhammad, vie du Prophète.*
79. Louis-Jean CALVET, *Cent ans de chanson française.*
80. Patrice FRANCESCHI, *L'homme de Verdigi.*
81. Alexandra CONNOR, *La faute de Margie Clements.*
82. John BERENDT, *La Cité des anges déchus.*
83. Edi Vesco, *Le Guide magique du monde de Harry Potter.*
84. Peter BLAUNER, *Vers l'abîme.*
85. Gérard DELTEIL, *L'Inondation.*

86. Stéphanie LOHR, *Claude François.*
87. Jacqueline MONSIGNY, *Floris.*
    I. *Floris, fils du tsar.*
88. Jacqueline MONSIGNY, *Floris.*
    II. *Le Cavalier de Pétersbourg.*
89. Arièle BUTAUX, *La Vestale.*
90. Tami HOAG, *Meurtre au porteur.*
91. Arlette AGUILLON, *Rue Paradis.*
92. Christopher REICH, *Course contre la mort.*
93. Brigitte HEMMERLIN, Vanessa PONTET,
    Grégory, sur les pas d'un ange.
94. Dominique MARNY, *Les Fous de lumière.*
    I. *Hortense.*
95. Dominique MARNY, *Les Fous de lumière.*
    II. *Gabrielle.*
96. Yves AZÉROUAL, Valérie BENAÏM,
    Carla Bruni-Sarkozy, la véritable histoire.
97. Philippa GREGORY, *Deux sœurs pour un roi.*
98. Jane AUSTEN, *Emma*
99. Gene BREWER, *K-pax.*
100. Philippe BOUIN, *Comptine en plomb.*
101. Jean-Pierre COLIGNON, Hélène GEST,
    101 jeux Cinéma-Télé.
102. Jean-Pierre COLIGNON, Hélène GEST,
    101 jeux Histoire.
103. Jean-Pierre COLIGNON, Hélène GEST,
    101 jeux France.
104. Jacqueline MONSIGNY, *Floris.*
    III. *La Belle de Louisiane.*
105. Jacqueline MONSIGNY, *Floris.*
    IV. *Les Amants du Mississippi.*
106. Alberto VÁSQUEZ-FIGUEROA, *Touareg.*
107. James CAIN, *Mort à la plage.*
108. Hugues ROYER, *Mylène.*
109. Eduardo MANET, *La Mauresque.*

110. Jean CONTRUCCI, *Un jour tu verras.*
111. Alain DUBOS, *La Rizière des barbares.*
112. Jane HAMILTON, *Les Herbes folles.*
113. Senait MEHARI, *Cœur de feu.*
114. Michaël DARMON, Yves DERAI, *Belle-Amie.*
115. Ed MCBAIN, *Le Goût de la mort.*
116. Joan COLLINS, *Les Larmes et la Gloire.*
117. Roger CARATINI, *Le Roman de Jésus*, t. I.
118. Roger CARATINI, *Le Roman de Jésus*, t. II.
119. Frantz LISZT, *Chopin.*
120. James W. HOUSTON, *Pluie de flammes.*
121. Joyce Carol OATES, *Le Sourire de l'ange.*
122. Nicholas MEYER, *Sherlock Holmes et le fantôme de l'Opéra.*
123. Pierre LUNEL, *Ingrid Betancourt, les pièges de la liberté.*
124. Tamara MCKINLEY, *Éclair d'été.*
125. Ouarda SAILLO, *J'avais 5 ans.*
126. Margaret LANDON, *Anna et le roi.*
127. Anne GOLON, *Angélique.* I. *Marquise des anges.*
128. Anne GOLON, *Angélique.* II. *La fiancée vendue.*
129. Jacques MAZEAU, *La Ferme de l'enfer.*
130. Antonin ANDRÉ, Karim RISSOULI, *Hold-uPS, arnaques et trahisons.*
131. Alice HOFFMAN, *Un instant de plus ici-bas.*
132. Otto PENZLER, *Quand ces dames tuent !*
133. Philippe BOUIN, *La Gaga des Traboules.*
134. Jane HAMILTON, *La Brève Histoire d'un prince.*
135. Jean-Michel COUSTEAU, *Mon père le commandant.*
136. Judith LENNOX, *L'Enfant de l'ombre.*
137. Stéphane KOECHLIN, *Michael Jackson, la chute de l'ange.*

138. Jeffrey ARCHER, *Frères et rivaux.*
139. Jane AUSTEN, *Orgueil et préjugés.*
140. Kim WOZENCRAFT, *En cavale.*
141. Andrew KLAVAN, *La Dernière Confession.*
142. Barry UNSWORTH, *Le Joyau de Sicile.*
143. Colleen McCULLOUGH, *Antoine & Cléopâtre.* I. *Le Festin des fauves.*
144. Colleen McCULLOUGH, *Antoine & Cléopâtre.* II. *Le Serpent d'Alexandrie.*
145. Santa MONTEFIORE, *Le Dernier Voyage du Valentina.*
146. Charles TODD, *Trahison à froid.*
147. Bertrand TESSIER, *Belmondo l'incorrigible.*
148. Elizabeth McGREGOR, *Une intime obsession.*
149. Anne GOLON, *Angélique.* III. *Fêtes royales.*
150. Anne GOLON, *Angélique.* IV. *Le supplicié de Notre-Dame.*
151. Clinton McKINZIE, *La Glace et le Feu.*
152. Edi VESCO, *Soleil d'hiver.*
153. Tariq RAMADAN, *Mon intime conviction.*
154. Jean-Dominique BRIERRE, *Jean Ferrat, une vie.*
155. Dale BROWN, *Feu à volonté.*
156. Émile BRAMI, *Céline à rebours.*
157. Joyce Carol OATES, *Œil-de-serpent.*
158. Didier PORTE, *Sauvé des ondes.*
159. Alberto VASQUEZ-FIGUEROA, *Les yeux du Touareg.*
160. Jane AUSTEN, *Persuasion.*
161. Michaël DARMON, YVES DERAI, *Carla et les ambitieux.*
162. Alexandre DUMAS, *Les Borgia.*
163. Julie GRÉGORY, *Ma Mère, mon bourreau.*
164. Philippa GREGORY, *L'Héritage Boleyn.*
165. Tamara McKINLEY, *Le Chant des secrets.*

166. Dominique JAMET, *Ces discours qui ont changé le monde.*
167. James PATTERSON, *Rendez-vous chez Tiffany.*

Cet ouvrage a été composé
par Atlant'Communication
au Bernard (Vendée)

Impression réalisée par

Rosés

en mars 2011
pour le compte des Éditions Archipoche

Imprimé en Espagne
N° d'édition : 168
Dépôt légal : mai 2011